MARIO SOLDATI

CINQUE NOVELLE

A cura di: Zita Vaccaro
Illustrazioni: Niels Henrik Hansen

EDIZIONE SEMPLIFICATA AD USO SCOLASTICO E AUTODIDATTICO

Le strutture ed i vocaboli usati in questa edizione sono tra i più comuni della lingua italiana e sono stati scelti in base ad una comparazione tra le seguenti opere: Bartolini, Tagliavini, Zampolli – Lessico di frequenza della lingua italiana contemporanea. Consiglio D'Europa – Livello soglia, Brambilla e Crotti – Buongiorno! (Klett), Das VHS Zertifikat, Cremona e altri – Buongiorno Italia! (BBC), Katerinov e Boriosi Katerinov – Lingua e vita d'Italia (Ed.Scol. Bruno Mondadori).

ISBN Danimarca 87-11-07395-0

Stampato in Danimarca da
Grafisk Institut A/S, Copenhagen

MARIO SOLDATI

è nato a Torino nel 1906

Terminati gli studi universitari studia Storia dell'Arte a Roma. Nel 1929 vince una borsa di studio e va per due anni negli Stati Uniti dove, tra l'altro, insegna alla Columbia University.

Il suo libro »*America, primo amore*« è appunto ispirato dal suo soggiorno americano.

Della ricca produzione narrativa di Mario Soldati ricordiamo qui il romanzo »*Le lettere da Capri*« (1954) che viene considerato il suo capolavoro.

Sia in questo suo libro, che nei romanzi successivi: »*La confessione*« (1955), »*Il vero Silvestro*« (1957), »*Le due città*« (1964) e »*La busta arancione*« (1966), ritroviamo trame complesse e situazioni ambigue, ma anche un attento esame dell'animo umano.

Oltre a numerosi romanzi, Mario Soldati ha scritto diverse raccolte di novelle da cui traspare che anche la novella è per lui una forma espressiva molto naturale.

Le novelle del volume »*55 novelle per l'inverno*«, da cui sono state tratte le cinque novelle di questo libro, sono state scritte dal 1958 al 1970.

Mario Soldati è anche noto come regista; dei suoi film ricorderemo qui »*Piccolo Mondo Antico*« e »*Malombra*« (tratti da romanzi di Fogazzaro).

INDICE

Le novelle sono tratte dal volume »55 NOVELLE PER L'INVERNO«

LA *SEGGIOLINA* DEL *FLORIAN*

Sul ponte dell'*Accademia* Frances Burke si ferma, sorpresa di essere sola. Si gira. Le sue dieci compagne sono ancora a metà *gradini:* salgono lentamente

nell'aria *tiepida* della sera: lentamente vengono su, cappellini, *borsette, mantelline, plaids:* un piccolo gruppo di *turiste* inglesi con le loro armi in mano.

---

seggiolina, piccola sedia
Florian, famoso caffè di Venezia, in Piazza San Marco
Accademia, palazzo di Venezia con quadri famosi
gradino, vedi illustrazione pag. 6
tiepido, quasi caldo
borsetta, mantellina, plaid, vedi illustrazione pag. 6
turista, chi fa viaggi per visitare città e paesi

E lei pensa di avere sbagliato a salire così in fretta: non ha avuto abbastanza pazienza. Fino allora, tutto si era svolto normalmente. Ed era passato anche l'ultimo giorno, era passata anche l'ultima sera senza incidenti. Forse ora il suo progetto poteva diventare una realtà.

Era arrivata, finalmente, anche l'ultima notte: quella in cui lei poteva fare quello che aveva deciso di

fare. Era arrivata: era lì: tra due ore, tre, tre e mezza al massimo...

Si *pente* di aver camminato troppo in fretta. Alle compagne aveva detto di essere stanca. Quando erano arrivate alle *Procuratie* Nuove le compagne si erano fermate per dare un ultimo sguardo alla piazza con la *folla* e le luci. L'ultimo per loro: non per lei.

Lei pensava: tra due, tre, tre ore e mezza al massimo, io rivedo la piazza: e diversa, *deserta,* senza luci: e spero di avere il coraggio!

»Mezzanotte passata! Che sonno! Sono molto stanca, e voi?« aveva detto forte rivolta specialmente a Mrs. Frazer.

Mrs. Frazer dormiva nella camera vicino alla sua e tutte le sere la invitava a bere una *camomilla* calda e la trattava come una amica. Ma Frances era venuta a Venezia in compagnia solo perché non poteva permettersi di spendere tanti soldi e non voleva fare amicizia con le sue compagne di viaggio.

Ma forse la Frazer aveva capito che Frances aveva un *segreto,* un progetto, e le stava vicino proprio perché era *curiosa* di sapere. Quando Frances incontrava il suo sguardo, i suoi piccoli occhi, capiva che c'era da temere. Forse la Frazer era per lei un problema più grosso della povera Pempy ventinove anni fa!

»Quanta energia questa notte!« le dice ora la Frazer.

---

pentirsi, provare dispiacere di aver fatto una cosa
Procuratie, palazzi famosi in Piazza San Marco a Venezia
folla, tanta gente insieme
deserto, luogo senza persone o animali
camomilla, the di fiori, che si beve per dormire
segreto, cosa che non si vuole raccontare a nessuno
curioso, chi si interessa dei fatti degli altri

»Al contrario« risponde Frances. »vado in fretta perché ho sonno e voglio raggiungere il mio letto al più presto. Non ho bisogno di camomilla, questa notte, cara!«

Tutte erano stanche ed avevano sonno. Niente di più naturale. Erano tutte e undici, old girls, vecchie ragazze o *vedove* o *divorziate,* donne sole di circa cinquant'anni. Lei, Frances non era certo la meno *anziana.*

Avevano visitati *musei,* chiese e palazzi, su e giù per i piccoli ponti fino ad una chiesetta, che era ancora nel programma della giornata. Ma non volevano mostrare di essere stanche, anzi, era importante per loro mostrare che erano brave. Brave inglesi che sopportavano tutto, senza *lamentarsi.*

La sua »energia« a salire il ponte poteva quindi mostrare questo sentimento e niente altro.

La verità era che si sentiva benissimo. Ora doveva fare quello che aveva deciso di fare. Le dispiaceva, certo, lasciare Venezia, le dispiaceva tornare a Londra, alla solita sua vita triste e dura. Pensava: fra tre giorni soltanto scendo dal bus a West Wickham, attraverso il giardino di Woodland Way, quasi certamente sotto la pioggia, salgo i gradini in fondo al *viale,* dico all'*infermiere* il nome e attendo nella stanza bianca finché vedo, attraverso la porta a vetri, avanzare nel *corridoio*

---

vedova, donna a cui è morto il marito
divorziata, donna che prima era sposata, ma ora non lo è più
anziano, quasi vecchio
museo, luogo dove sono raccolte le cose antiche
lamentarsi, dire di non essere contento
viale, via con alberi in un giardino
infermiere, persona che aiuta un medico a curare i malati

la povera figura di Philip con in mano la sua valigetta di *biancheria*. E si *sentiva stringere il cuore*.

Philip era il fratello malato per sempre al quale lei per sempre si era dedicata: le bastava pensare a Philip per sentirsi stringere il cuore senza speranza. Ma...

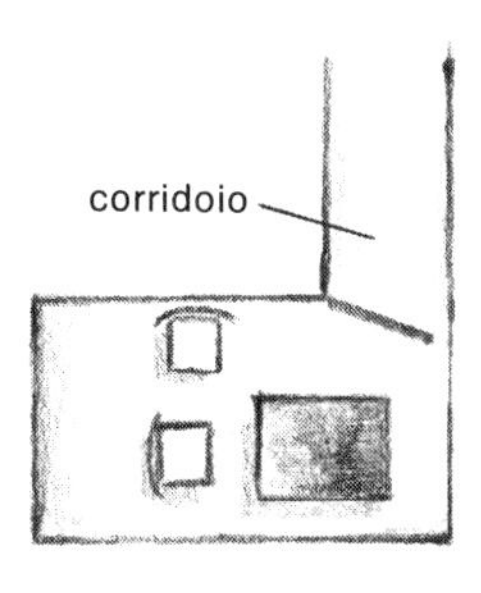

biancheria, tutto quello che si usa addosso al corpo, ma sotto il vestito
sentirsi stringere il cuore, essere molto triste

... Ma, questa volta, con la *grazia* di Dio, tutto doveva essere diverso: più precisamente, tutto restava come era, meno un piccolo particolare. Lei pensa che mentre attraversa mezza Londra con Philip fino a Kensington, prima col bus e poi con l' underground è certa di trovare, a casa, nel triste appartamento di Colville Square, la *novità,* la realtà, il *conforto* di un piccolo particolare.

Un *cimelio,* un *simbolo?* Niente di meglio, senza dubbio. Oh, non era malata di mente, lei. Non era come il fratello malato: il quale non amava niente nella vita, non desiderava niente, e neppure ricordava di avere mai amato o desiderato qualche cosa; e quella, appunto, era, come dicevano i medici, tutta la sua malattia.

No, al contrario. Lei sapeva che la *felicità,* nella vita, era possibile: e che molti l'avevano *continuamente.* Lo sapeva perché l'aveva avuta anche lei: ma una volta sola, una, una sola, e così rapidamente, e tanti, tanti anni fa (ventinove, per essere precisi), che aveva, ormai, bisogno di una prova, di un segno, di un oggetto *concreto* davanti a lei, qualche cosa da vedere e da toccare per ricordare quella felicità lontana.

---

grazia, aiuto
novità, ciò che è nuovo
conforto, cosa che dà aiuto e speranza
cimelio, ricordo
simbolo, oggetto o figura che rappresenta un'idea, un sentimento
felicità, condizione di quando si è felici
continuamente, tutto il tempo, sempre
concreto, che si può vedere e toccare

Altrimenti temeva di dimenticare, di cominciare ad avere dubbi, di credere di avere immaginato e non vissuto, la felicità: a poco a poco, temeva di diventare pazza anche lei.

Per questo aveva un progetto: procurarsi quell'oggetto e portarlo a Londra. Un progetto strano e difficile e lei lo sapeva. Ma non era un progetto *sciocco*. Lo scopo era semplice. Si trattava di non diventare pazza come Philip. Così, infatti, proprio così: »non diventare pazza«: Frances aveva scritto sulla prima pagina dell'*agendina* azzurra di questo anno.

Aveva deciso di mettere il cimelio, rosso di sangue, caldo, vivo, nell'appartamento di Colville Square, vicino alla finestra, tra lo *scrittoio* e il *pianoforte*. E pen-

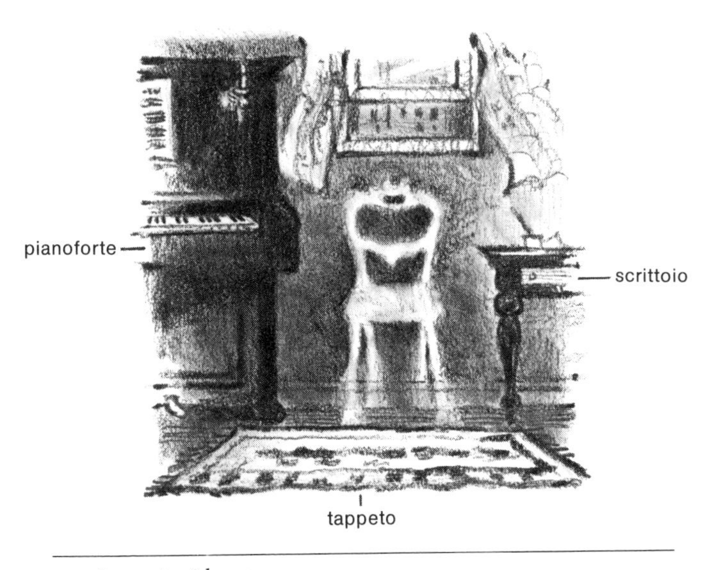

---

sciocco, stupido
agendina, piccolo libro, dove si scrivon ogni giorno le cose fatte o da fare

sava già di chiudersi a chiave, stendersi sul *tappeto* e *contemplare* il rosso oggetto della realtà e della felicità. Pensava già di avere a casa sua la seggiolina del Florian!

Dopo essere arrivata all'albergo, assieme alle sue compagne, non era stato tanto facile per Frances liberarsi dalla Frazer, che le era rimasta vicino tutto il tempo.

Ma ora, finalmente, è in camera sua e si chiude subito a chiave.

Guarda l'ora: mezzanotte e mezzo. Spegne la luce, si *sdraia* sul letto completamente vestita e resta *immobile*. La Frazer, dalla camera vicina, non deve sentire alcun rumore. E' molto importante farle credere che Frances si è subito addormentata. Ma Frances non dorme, anzi si sente molto sveglia. Nel buio, ad occhi aperti, Frances pensa al suo progetto. Pensa anche che a Venezia la felicità è nell'aria, nei colori, nelle cose... non è come a Londra.

Pensa a quello che è accaduto, qui a Venezia, ventinove anni fa. Oggi per lei è stato facile liberarsi dalla Frazer. Semplicissimo! Con Pempy, ventinove anni fa, era stato molto più difficile. Pempy era la sua amica più cara, fino dagli anni della scuola. Passavano l'estate insieme, visitavano le più belle città d'Italia. Dormivano nella stessa stanza.

A Venezia, era l'albergo Cavalletto. Sdraiate ciascuna nel suo letto, con gli occhi aperti nel buio, pro-

---

tappeto, vedi illustrazione pag. 11
contemplare, guardare con attenzione
sdraiarsi, riposare sul letto
immobile, che non si muove

prio come adesso lei, avevano passato tante ore a *chiaccherare.* Si raccontavano tutto, senza segreti. Fino al momento in cui Frances si era accorta di essere guardata in un modo speciale da un giovane cameriere: ogni sera, quando lei e Pempy sedevano ad un tavolino del Florian, col loro solito *gelato.*

Il cameriere piaceva anche a lei: le pareva di avere per lui un sentimento straordinario: per questo, forse, non lo aveva detto a Pempy. Non sentiva *vergogna* della sua condizione di cameriere, non era per questo motivo: ma per amore, per tenere tutto per sé quel sentimento.

Il cameriere era giovane, piccolo, *magro,* con la pelle

---

chiaccherare, parlare di cose poco importanti
vergogna, sentimento che si prova quando si fa una cosa sbagliata

del viso *color rame,* gli occhi verdi, i denti bianchissimi, ed un *sorriso,* un sorriso... lei si sentiva girare la testa quando lo guardava. Anche lui, per lei, doveva provare qualche cosa di simile. Era chiaro dal modo in cui lui *scostava* le sedie e faceva loro posto, appena le vedeva. Chiarissimo, infine, che l'oggetto del suo interesse non era Pempy: infatti faceva sempre in modo di trovarsi dietro le spalle di Pempy e di fissare, così, liberamente, lei Frances diritto negli occhi e con quel sorriso, con quei denti bianchi, con quella bocca che chiamava i baci.

Tuttavia, è proprio Pempy, una sera, che comincia a parlare con lui. E lui racconta che ha ventiquattro anni, che ha appena finito il servizio militare, e che è di Belluno.

»Certo non ha niente del cameriere, e niente dell'italiano« aveva detto Pempy: »con un vestito normale e se non parla, può sembrare proprio uno scozzese!« Frances non aveva saputo il suo nome, neanche il suo nome! Anche con ciò che era successo la notte dopo (anche quella volta, l'ultima notte a Venezia), il nome non glielo aveva detto! Perciò nei ricordi di Frances, lui restava con questo nome: »il cameriere, il cameriere del Florian«. Qualche volta, anche, pensava a lui come a »lo scozzese di Belluno«.

»Lo scozzese«: molte volte, quando ci *ripensava,* si diceva che era quello che aveva detto Pempy, che le

---

color rame, colore della pelle di chi sta molto al sole
sorriso, si fa quando si ride leggermente per mostrare gioia
scostare, cambiare posto a una cosa
ripensare, pensare di nuovo

aveva fatto prendere la decisione. Il padre di Frances era irlandese e la madre di Frances era scozzese: e lei aveva sempre amato *appassionatamente,* fino da bambina, tutto quanto era scozzese.

Una sola cosa, in fondo, la divideva da Pempy: Frances era *cattolica,* e Pempy no. Il giorno prima della partenza, nel pomeriggio tardi, Frances aveva trovato la scusa che voleva *confessarsi:* e aveva convinto Pempy a ritornare all'albergo. Aveva detto a Pempy: »Poi vengo a prenderti per andare a pranzo«.

Appena sola, lei va quasi di corsa dal cameriere. Ma invece di sedersi, come al solito, a uno dei tavolini sulla piazza, si siede sotto le Procuratie, dove c'è poca gente. E quando lui la raggiunge per *l'ordinazione,* lei gli parla. Non ricorda più quello che gli ha detto, ma insomma, gli fa capire che le è simpatico e chiede modo di riverderlo, la notte stessa. Il ragazzo, allora, le dice di tornare, in quello stesso posto, sotto le Procuratie, la notte alle tre.

Anche adesso, a ventinove anni di distanza, il Caffè Florian verso le tre di notte è finalmente chiuso. Lo aveva *constatato* anche in altri due viaggi, nell'estate del '53 e in quella del '61. A quell'ora di notte, al massimo alle tre e mezzo, la piazza è completamente deserta. Non passano guardie, né carabinieri. C'è soltanto qualche *ubriaco,* di cui non c'è da temere. Le seg-

---

appassionatamente, con passione
cattolico, chi appartiene alla chiesa di Roma
confessarsi, confessare a un prete i propri peccati
ordinazione, ordine che si dà a un cameriere
constatare, controllare
ubriaco, uomo che ha bevuto troppo vino

gioline restano al loro posto sotto le Procuratie, accanto al muro; non c'è nessuno che le tocca, anche se

sono antiche, almeno *ottocentesche.* Le seggioline ed i

---

ottocentesche, dell'ottocento

tavolini sotto il *porticato* sono uguali a quelli dell'interno del caffè. I tavolini sono *tondi,* di marmo. Le seggioline sono di *legno,* ben fatte, e col *sedile ricoperto* di *velluto* rosso.

porticato

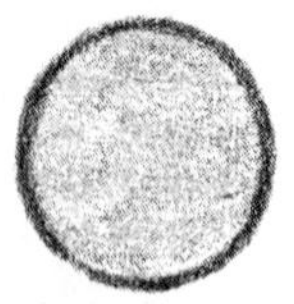
tondo

Lo »scozzese di Belluno« è lì che l'aspetta nell'ombra di un *pilastro.* Non è più vestito da cameriere. Ha un *maglione* blu chiuso fino al collo, e sembra proprio uno scozzese. La *abbraccia* subito, e la bacia sulla bocca. Non è più piccolo di lei: sono alti uguali. Lui la stringe forte e continua a baciarla.

»Dove andiamo?« chiede Frances a un certo momento, mentre guarda la grande piazza *illuminata* e deserta.

Per risposta, il ragazzo la stringe alla *vita* e la conduce, piano piano, verso l'*ingresso* del caffè. Sempre senza parlare, si ferma, si guarda attentamente intorno: poi spinge la porta in vetro e la fa entrare. Entra anche lui e chiude a chiave. L'interno del caffè è

---

legno, materiale che si fa con gli alberi
sedile, vedi illustrazione pag. 17
ricoperto, coperto
velluto, materiale speciale e molto morbido che si usa per abiti, ma anche per coprire le sedie
pilastro, vedi illustrazione pag. 17
abbracciare, mettere le braccia attorno alle spalle di una persona
illuminato, un posto dove ci sono le luci accese
ingresso, dove si entra

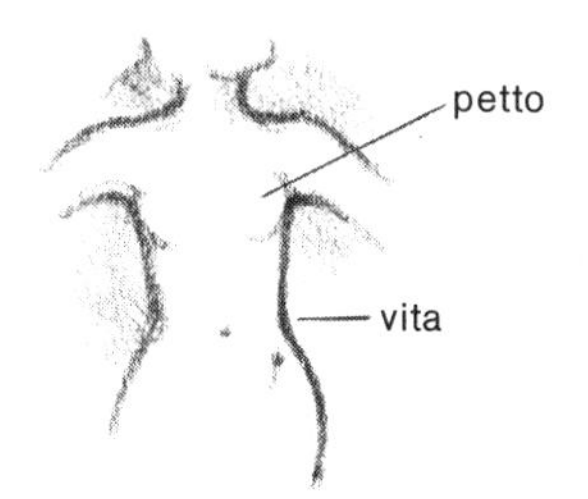

buio, ma la luce, che entra dalle porte finestre è sufficiente a guidarli nel punto più lontano e nascosto. Lì, se passava qualcuno sotto i portici, anche se cercava di guardare dentro, non poteva vederli. Ma loro due, seduti ed abbracciati sulla stessa seggiolina, possono ancora guardarsi negli occhi. Non parlano. Si baciano: fanno l'amore fino a che è possibile: la luce della prima alba li divide.

Il bene della sua vita era tutto in questo ricordo: in quell'ora, forse meno, di felicità, che non si era mai più ripetuta. Poi, per ventinove anni, lezioni di pianoforte, e cure alla mamma vecchia, fino a che la mamma muore, ed al fratello malato: niente altro, niente di più. Ogni tre o quattro anni si concedeva una breve vacanza, un viaggio all'*estero*. Per l'occasione, portava il fratello in una *clinica* a West Wickham.

Appena tornava a Londra, lo andava a riprendere, e se lo riportava a casa...

Per questo aveva deciso di rubare una delle seggioline del Florian. Non la stessa di ventinove anni fa, naturalmente. Ma *identica* a quella.

---

estero, paese che non è quello dove si abita
clinica, ospedale
identico, completamente uguale

Aveva pensato, *calcolato,* preparato tutto. Era venuta con una grandissima valigia quasi vuota. Aveva pensato di *spaccare* la seggiolina, così da dividere il sedile dallo *schienale,* e di farla stare nella valigia. Poi, a Londra, a due passi da casa, da qualche *antiquario* di Portobello, era facile farla *accomodare* per pochi soldi.

Quindi alle due e mezza precise si alza. Si lava il viso, attenta a non far rumore e non svegliare la Frazer. Cambia scarpe: si mette un paio di scarpe brutte, vecchie, ma comodissime, con le quali può anche correre senza *stancarsi.* Per essere più libera nei movimenti, non porta la borsetta. Prende soltanto un *fazzoletto* e i soldi e li mette nella *tasca* del *tailleur.* E il *passaporto,* se per caso l'*arrestano.* Sì, bisognava pensare anche a questo. Se l'arrestavano, aveva deciso di dire: »Sono una vecchia inglese *eccentrica* e senza molti soldi, innamorata delle vostre *antichità«.*

fazzoletto

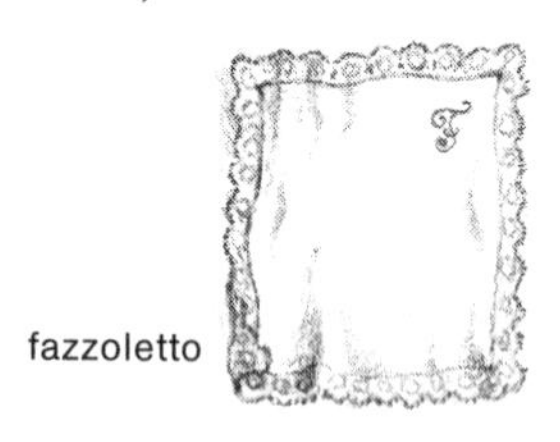

passaporto

---

calcolare, tenere conto di qualcosa
spaccare, rompere
schienale, vedi illustrazione pag. 17
antiquario, chi vende cose antiche o vecchie
accomodare, rimettere in ordine una cosa rotta
stancarsi, diventare stanco
tailleur, speciale vestito da donna con giacca
arrestare, portare una persona alla stazione di polizia
eccentrico, persona che fa cose strane
antichità, oggetti antichi

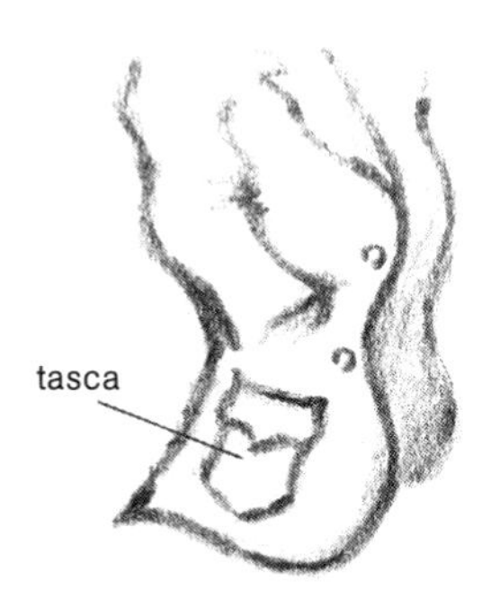

Ma era certa di riuscire nel suo progetto. Già due volte, nelle notti *precedenti,* aveva studiato attentamente le strade e la piazza. Chi poteva fermarla? Era una vecchia turista inglese, che tornava all'albergo con la sua seggiolina. Tante vecchie turiste inglesi avevano l'abitudine, le sere d'estate, di andare in Piazza, ad ascoltare la musica con un *pliant* sotto il braccio! Era solo un poco tardi, ma per il resto non c'era proprio niente di strano.

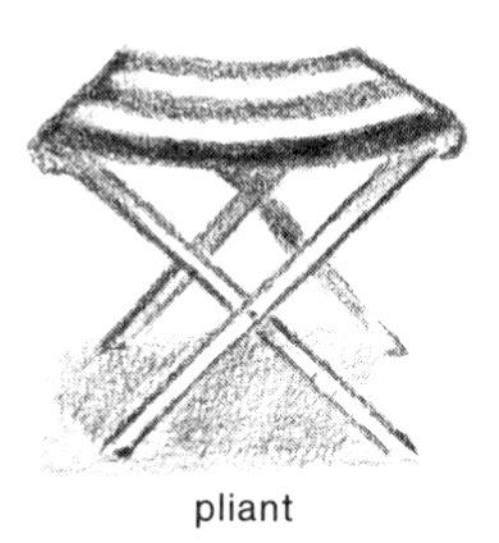

pliant

Ecco, tutto va bene. Fino all'attimo in cui prende la seggiolina. Osserva anche l'ora, prima: sono le tre e

---

precedente, che viene prima

diciassette. Si guarda, ancora una volta, attentissimamente, tutto attorno. E' certissima di non essere vista: in quel momento, in piazza San Marco, non c' è anima viva.

Di *scatto,* dunque, prende la seggiolina: la *afferra,* la stringe al *petto:* e si allontana, rapida ma non di corsa. Ma non ha fatto due passi, che un *fragore* di vetri, che le pare *immenso,* la *gela* sul posto. Si ferma senza capire, ha molta paura. Si gira. Che cos'era quel fragore? Era la porta a vetri del Florian aperta da qualcuno: da un uomo, un *custode,* uscito dal Caffè: egli viene verso di lei e dice:

»Cosa fa? Lasci la seggiolina, per favore. Non è roba sua!«

Il custode era un uomo di circa quarant'anni: grosso e nero. Per caso, aveva anche lui un maglione blu, chiuso al collo.

Frances riporta la seggiolina al suo posto. Le basta fare due passi. Aveva preso la prima della fila, la più vicina alla via per fuggire.

Mormora all'uomo che la guarda *immobile* e serio:

»Mi scusi... Non sapevo... volevo soltanto sedermi un poco più in là, sulla piazza, a guardare la luna«.

»Ah, sì?« dice l'uomo.

---

di scatto, di improvviso
afferrare, prendere e stringere con forza
petto, vedi illustrazione pag. 19
fragore, rumore forte
immenso, molto grande, senza fine
gelare, fare restare fermo, come di ghiaccio
custode, uomo che fa la guardia alle cose degli altri
mormorare, parlare piano ed in modo poco chiaro
immobile, senza muoversi

»Allora Frances si ricorda che è luna nuova. Ma non cerca di spiegarsi in altro modo. Dice solo:
»Mi scusi. Buonanotte« e di corsa si allontana.

Domande

1. Perché Frances era andata a Venezia?
2. Che cosa aveva scritto nella sua agendina?
3. Che malattia aveva il fratello di Frances?
4. Come aveva pensato di portare la seggiolina del Florian a Londra?
5. Dove voleva mettere la seggiolina?
6. Come aveva conosciuto il giovane cameriere di Belluno?
7. Come aveva fatto a liberarsi della sua amica Pempy ventinove anni fa?
8. E come fa ora a liberarsi della sua compagna di viaggio Mrs. Frazer?
9. Chi si accorge che Frances ha rubato la seggiolina del Florian?
10. Che cosa significa la seggiolina del Florian per Frances?

GLI *STIVALETTI* GRIGI E NERI

A Genova, al bar del *Columbia,* quell'inglese *solitario,* che non vedevo in viso, mi ricordava il mio vecchio amico Filippo Tasca, che non vedevo da qualche anno.

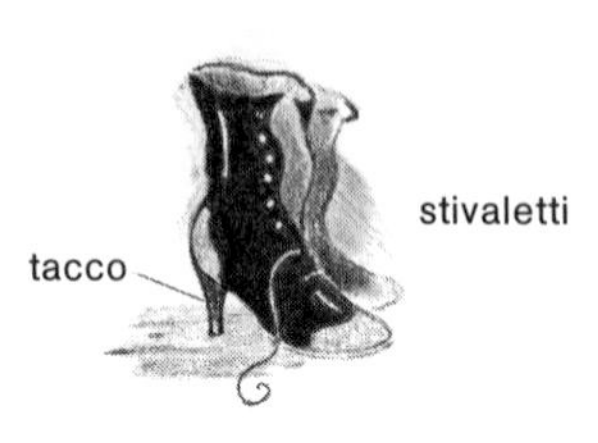

Curvo sul suo whisky, ogni tanto beveva un poco, e ogni tanto guardava il suo grosso orologio d'oro.

Pareva aspettare qualcuno, con pazienza e *malinconia.*

Erano le due di notte e avevo sonno. Resistevo perché desideravo sapere che faccia aveva quel signore. Alla fine ho rinunciato e ho chiesto il conto. Ma egli aveva udito la mia voce e si era girato. Era Filippo.

»Ma perché parlavi inglese?« gli ho domandato, mentre ridevo, dopo averlo abbracciato.

»Un vecchio scherzo fra noi due« mi dice e *strizza l'occhio* al barman« non è vero Fernando?«

Columbia, nome di un albergo di Genova
solitario, che sta solo
curvo, con il corpo teso in avanti e verso il basso
malinconia, stato d'animo un poco triste

»Non ti ho riconosciuto« continuo »anche perché, dopo la morte di tuo zio ti credevo stabilito a Torino per sempre.«

»Be', si viaggia, no? Posso benissimo vivere a Torino, e venire ogni tanto a Genova, dove ho passato tanti anni. Qui conosco più gente e mi sento più di casa che a Torino. Ad ogni modo, mi sono stabilito per sempre non a Torino, ma proprio a Genova. Sono appena tornato e sto qui: all'albergo, finché trovo un appartamento: il mio vecchio, purtroppo, non era più libero. Invece, all'ufficio dell'*Adriatica,* ho avuto fortuna. Tutti così gentili! Mi hanno *ridato* lo stesso posto«.

Adriatica, nota società di Genova con grandi uffici
ridare, dare di nuovo

»E la *villa*?« domando con sorpresa. »La villa di *Sassi*?«

»L'ho venduta l'altro ieri.«

»Ma non avevi desiderato tanto averla?«

Il desiderio di Filippo, infatti, era sempre stato quello: alla morte dello zio e dopo aver *ereditato* da lui la villa di Sassi, in collina vicino a Torino, lasciare l'*impiego,* andar via da Genova, ritirarsi dagli affari e vivere d'allora in poi in campagna.

»Lo avevo desiderato, certo! Ma si vede che, come tanti uomini a questo mondo, sono costretto anch'io a rinunciarvi. Mi pare che anche tu…«

»Non ne parliamo. Dimmi di te. Che cosa è successo?«

Sassi, piccola città di campagna vicino a Torino
ereditare, ricevere dopo la morte di un parente o di un amico
impiego, lavoro in ufficio

»E' successo l'incredibile. Una *novella*. Hai tempo? Sediamoci qui.«

»Ho tempo. Avevo anche sonno. Non ce l'ho più. Dimmi tutto.«

»Mio zio, come sai, è morto un mese fa. Negli ultimi tempi, quando i medici avevano visto che la malattia aveva bisogno di cure continuate e *complicate*, era andato in ospedale a Torino: ed è morto lì. Tu conosci, più o meno, la vita di mio zio. *Viaggiatore* e *cacciatore*, in fatto di donne non si era mai curato di nascondere i suoi gusti piuttosto strani e liberi.

Celibe come me fino quasi alla mia età, cinquant'anni, aveva deciso allora di sposare una cara amica, un po' più giovane di lui, con la quale aveva vissuto a periodi o almeno aveva fatto lunghi viaggi a *Parigi*, in Spagna, in Inghilterra.

Era una *triestina:* bionda, piccola, *grassa*, simpaticissima, che ho ancora fatto tempo a conoscere e che ricordo molto bene, anche se non ho mai saputo chi era, da dove veniva, e come aveva incontrato mio zio.

Si chiamava Vera Kressevich, ecco quello che so. Aveva gli occhi verdi, grandi e guardava le persone diritto negli occhi.

Mia zia è morta, si può dire, subito dopo il matrimo-

---

novella, breve storia
complicato, difficile
viaggiatore, uomo che viaggia
cacciatore, uomo che caccia
celibe, uomo non sposato
Parigi, Paris
triestina, donna di Trieste
grasso, che pesa molto

nio. Avevano fatto il *viaggio di nozze* con un *battello* sul *Reno,* da *Basilea* a Rotterdam. Quando sono ritornati, appena entrata in villa, si è *ammalata* ed è morta. Mio zio è rimasto molto *addolorato.* Per tre o quattro mesi non è uscito dalla villa e dal *parco.* Non parlava con nessuno. Non voleva vedere neanche me.

Anni dopo, un giorno che lo accompagnavo verso il Po, al piccolo *cimitero* di Sassi, dove era la *tomba* della zia, mi ha raccontato che, in qualche modo, egli si sentiva *responsabile* della sua morte. Perché, contrariamente a quanto uno poteva immaginarsi (il matrimonio è sempre un desiderio delle donne e non degli uomini) lei non voleva sposarlo e per parecchio tempo gli aveva detto di no. Infine, quando lui le aveva fatto credere di abbandonarla se non si decideva, aveva accettato. Chissà. Forse sentiva che il matrimonio veniva poco prima della sua morte. »Era strana« concludeva mio zio »e lei, certe cose, le sentiva. La malat-

---

viaggio di nozze, viaggio in occasione del matrimonio
Reno, fiume Rhein
Basilea, Basel
ammalarsi, diventare malato
addolorato, che prova dolore, triste
parco, vedi illustrazione pag. 30
responsabile, che ha la colpa

tia è venuta quando siamo ritornati dal viaggio di nozze. Il viaggio lo avevo deciso io. Mah.«

»Hai detto bene. Ritirarmi a Sassi era sempre stato il mio desiderio. Infatti, soltanto quindici giorni dopo la morte di mio zio, avevo già lasciato tutto, ed ero partito per Torino. Avevo qui a Genova una vecchia *domestica* che mi serviva dal tempo della guerra e che mi era molto cara. Ma la sera tornava a casa sua: ha un figlio, e un marito vecchio: naturalmente non poteva seguirmi.«

Così sono andato ad abitare nella villa di Sassi solo. C'era Eraldo, il *giardiniere* con la sua famiglia. Se mi

---

domestica, donna che fa i servizi in casa di altri
giardiniere, chi per mestiere cura il giardino di altri

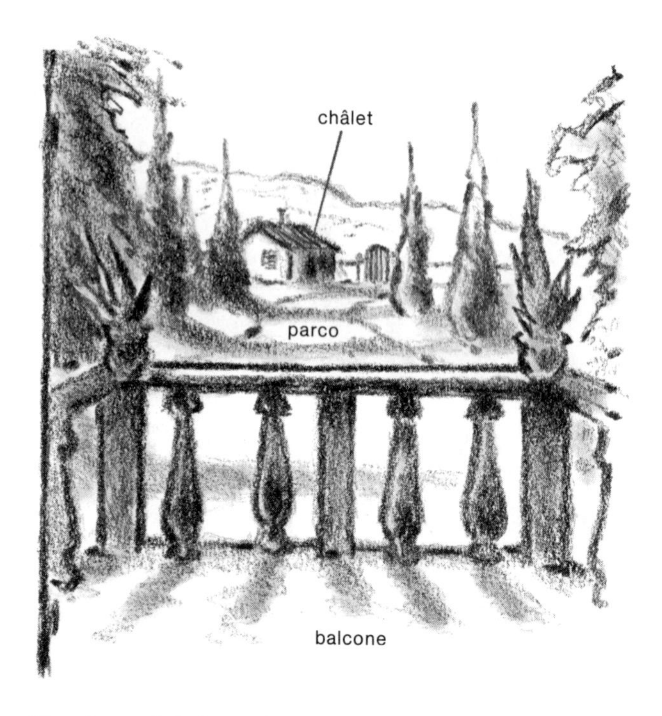

affacciavo al *balcone* della mia camera da letto (quella dello zio, naturalmente, l'unica col bagno), vedevo a cento passi lo *châlet* vicino all'ingresso del parco. Bastava gridare, chiamare: e avevo tutto il servizio necessario. Per qualche giorno, o anche per qualche settimana, il tempo necessario per trovare un *domestico* veramente bravo, potevo andare avanti così. Invece...

E' accaduto subito, la prima notte.

Ero arrivato da Genova verso le tre del pomeriggio, dopo essermi fermato per la colazione al *Cambio*. Ero

---

domestico, uomo che fa i servizi in casa di altri
Cambio, famoso ristorante di Torino

quasi felice. Era primavera e gli uccelli cantavano nel parco. Nella luce *dorata* del sole vedevo le *Alpi,* dal *Monviso* al *Gran Paradiso* e Torino ai miei piedi, tranquilla e immensa. Tutto, in quel momento mi faceva sentire sereno e felice e mi dava un senso di sicurezza.

Con Eraldo ho fatto prima il giro del parco, abbiamo visitato con cura ogni luogo, i diversi terreni, tutto era ben curato.

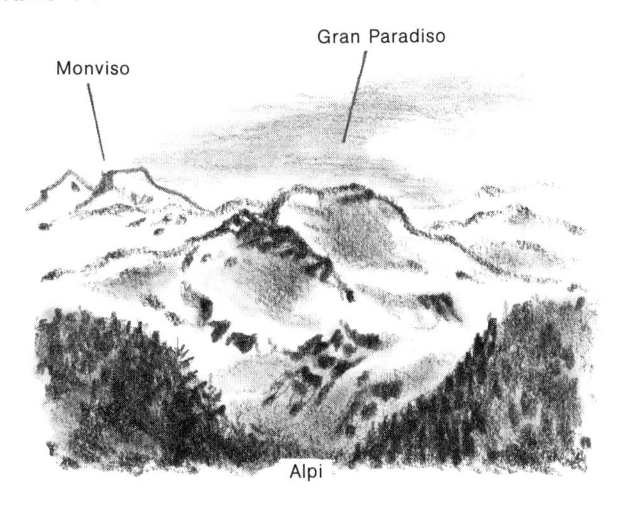

Infine, verso sera, siamo entrati nella villa.

Anche qui, tutto era in ordine, anzi in perfetto ordine. La villa è vecchia, come sai, ha più di un secolo. Ma mio zio, uomo moderno, aveva fatto i lavori necessari, bagni, telefono, eccetera. Non era grande, ma per me più che sufficiente.

Sempre con Eraldo, ho visitato ogni camera, ogni posto: ho perfino guardato dentro ai diversi mobili,

---

dorato, del colore dell'oro

pieni di cose di tutti i generi. Mio zio aveva fatto un paio di volte il giro del mondo, e non so quante altre volte era stato in Africa e in India alle *cacce grosse*. Tornava sempre con molti ricordi e li disponeva in giro per la villa: ma poiché era un uomo con molto buon gusto, la maggior parte di quella roba, la teneva chiusa in mobili e casse. Era quello uno dei primi problemi per me, ho pensato. Ed ho sentito che la cosa non era facile. Perché, da una parte non mi piaceva vivere in una casa piena di oggetti non miei e che non conoscevo; dall'altra non volevo buttare via o vendere tutto senza scegliere. Ho detto a Eraldo che presto dovevamo *raccogliere le nostre forze* e metterci al lavoro: guardare tutto quel materiale e dividere le cose che mi piacevano da quelle che non volevo tenere.

Basta, quando la visita è finita, mi sono accorto che era già notte. Non avevo voglia di tornare a Torino per il pranzo. Perciò ho accettato la proposta della moglie di Eraldo, che mi ha preparato una buonissima *frittata* con *insalatina* ed altre cose semplici ed ottime. Una bottiglia di *Freisa*. Da quanto tempo non facevo un

caccia grossa, caccia dove si uccidono bestie molto grosse
raccogliere le proprie forze, cercare di essere forte
Freisa, vino rosso della campagna vicino a Torino

pranzo come questo! Davvero, mi sono detto, sono capitato bene. L'unica cosa triste era quella di dover mangiare solo come un cane nella grande sala da pranzo dalle pareti coperte di *trofei* di caccia. Ma insomma, a Genova, per trent'anni e più avevo man-

giato al ristorante. Dovevo abituarmi a stare solo e vivere la vita come avevo sempre desiderato. E poi, verranno degli ospiti, no?

Dopo pranzo sono andato per mezz'ora in giardino a fumare ed a guardare le stelle che vedevo tra i *rami* degli alberi. Ora c'era un vento freddo e pensavo

---

ramo, vedi illustrazione pag. 34

quindi con piacere alla mia calda stanza, al mio comodo letto, alla mia prima tranquilla notte in villa. Sono rientrato.

Per una ragione che non ti so spiegare, ma che certo capirai, avevo portato con me le *lenzuola*. La bottiglia di Freisa... dirò la verità, ne avevo bevute due. Dunque, ero andato a letto e mi ero addormentato subito. Avevo guardato l'ora: le dieci e mezzo.

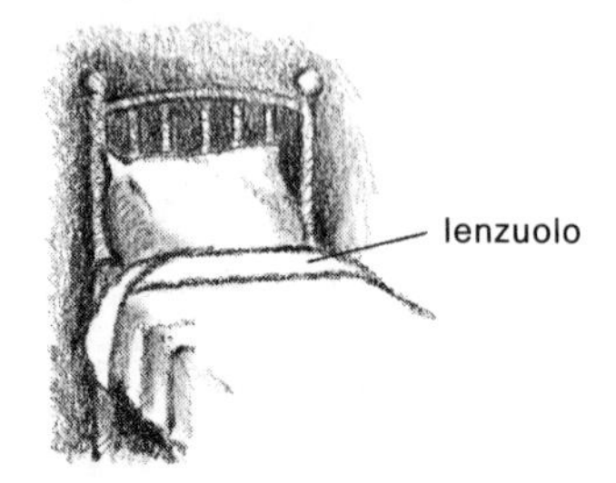

Soltanto un'ora dopo mi sono svegliato. Il silenzio di una notte in campagna, dopo che si è abituati per trenta anni alla città, e a una città *rumorosa* come Genova! Udivo appena il vento, fuori, tra gli alberi. Un cane che *uggiolava*. Non il cane di Eraldo. Un cane lontano, chissà dove. E un *rumoretto,* come un *fruscio,* che sembrava vicino, nell'interno della villa. Forse una finestra che non chiudeva bene, una tenda mossa dal vento. Mi sono alzato a sedere sul letto, ho acceso la luce. Mi era parso ancora di udire quel friscìo per qualche momento: poi, quasi subito, più nulla. Sono

---

rumoroso, con molto rumore, oppure chi fa molto rumore
uggiolare, si dice di un cane che piange
rumoretto, piccolo rumore
fruscio, rumore di carta o foglie che si muovono

rimasto per pochi istanti a ascoltare zitto zitto. Nulla. Ho spento la luce e mi sono buttato giù. Ma subito accendevo di nuovo la luce e mi mettevo ad ascoltare: avevo udito, chiaramente, nel corridoio che conduceva alla camera dove mi trovavo, un passo: un passo di donna, il *ticchiettio* dei *tacchi*.

Sono stato lì fermo e zitto come prima. Nulla. Ho spento la luce e sono rimasto così, seduto sul letto, senza potermi muovere. Mi ero ricordato, all'improvviso, di un fatto avvenuto anni prima, in quella stessa camera, tra me e mio zio, e che non mi sono mai potuto spiegare. Ecco, mi dicevo, se adesso sento di nuovo quel ticchiettio di tacchi, la ragione non può essere che una...

Mio zio scriveva i suoi ricordi di viaggio e di caccia. Un'estate, anni dopo la morte di sua moglie, mi aveva invitato a passare le vacanze in villa e mi aveva domandato se potevo scrivere per lui a macchina alcune pagine del libro che scriveva.

Lavoravamo il pomeriggio tardi e la notte. Lui era *sdraiato* sul letto con i suoi *appunti:* era lo stesso letto dove in quel momento mi trovavo io. E io, a un piccolo tavolo lì vicino, scrivevo a maccina. Ero seduto in modo che mi stavano di fronte sia il letto sia la porta che dalla camera mette nel corridoio. Mio zio, perciò, non poteva vedere la porta se non si girava sul fianco. Era un' estate molto calda. La porta era aperta, per lasciar passare un poco d'aria.

---

ticchiettio, rumore dei tacchi mentre si cammina
tacco, vedi illustrazione pag. 24
sdraiato, che riposa sul letto
appunto, scritto fatto per aiuto della memoria

A un certo momento, mentre lui *dettava* e io scrivevo, ho dovuto interrompere. Avevo visto, attraverso la porta, qualcosa muoversi nel buio del corridoio. Qualche cosa? Che cosa? Non capivo.

»Avanti, scrivi!« aveva detto mio zio.

»C'è qualcuno lì«, avevo risposto io, senza muovermi, mentre gli indicavo con lo sguardo il corridoio.

»Ma vai avanti, chi può esserci?!« aveva gridato mio zio *irritato.*

Io non avevo risposto. Stavo zitto. Ascoltavo. E nel silenzio, avevo udito... udito, sì, un ticchiettio di tacchi che si allontanavano tranquillamente. Mi ero alzato:

»Non senti?« avevo detto a mio zio. E lui:

»Che cosa?«

»Una donna che cammina.«

»Io non ho sentito niente.«

»Eppure, ti giuro...«

»Ma smettila! Sarà l'Ernesta che è venuta a prendere qualche cosa. Andiamo avanti.«

L'Ernesta era la moglie del giardiniere di allora. Avevo pensato di correre in giardino, andare dall'Ernesta, controllare. Ma davanti alla decisione di mio zio, non ci ero riuscito.

Il giorno dopo avevo chiesto all'Ernesta se la sera prima era venuta in villa per qualche cosa. L'Ernesta mi aveva detto di no, e che, poi, non era possibile perché da una settimana mio zio le aveva dato il permesso di andare a dormire a Torino, per far compagnia a sua sorella che era malata. Mentra lei parlava,

---

dettare, dire parola per parola quello che un altro deve scrivere
irritato, che ha perso la pazienza

io guardavo i suoi piedi e mi accorgevo che, come tutte le nostre *contadine,* non portava scarpe con i tacchi.

Proprio quel giorno le mie vacanze finivano: e sono partito senza dire nulla allo zio. Ma poi, che cosa potevo dirgli senza *irritarlo?* Era fin troppo chiaro che lui SAPEVA che non poteva essere stata l'Ernesta.

... I passi improvvisamente si sentivano fortissimi, vicinissimi, proprio dietro la porta, che per fortuna avevo chiuso a chiave.

Ero stato *lì lì per* gridare, per chiamare aiuto. Con grandissima fatica (mentre i passi si fermavano e poi riprendevano e poi si fermavano ancora, e così via: era come sentire qualcuno camminare avanti e indietro nel corridoio davanti alla porta) mi sono alzato, ho acceso la luce, tutte le luci, ho aperto la finestra del

---

contadino, chi vive e lavora in campagna
irritare, far perdere la pazienza
lì lì (per), quasi (per)

balcone: poi mi sono vestito in fretta, mi sono coperto bene, ho portato una *poltrona* sul balcone, ho acceso una *pipa* e ho atteso l'alba mentre guardavo le stelle, fumavo, leggevo e bevevo un poco di whisky che per caso avevo nella valigia.

Il ticchiettio dei passi, per la verità, era durato tutto il tempo. Ma udito a quella distanza e da fuori, dal balcone, era in qualche modo *tollerabile*. Guardavo ogni tanto la *maniglia* della porta del corridoio. Avevo deciso, se si muoveva, di chiamare Eraldo con quanto *fiato* avevo in corpo. Eraldo, che abitava nello châlet che vedevo a breve distanza tra gli alberi nudi del parco. Non è stato necessario. Il ticchiettio, con *pause* e riposi è durato fino all'alba: ma niente di più.

Era venuta l'alba, e i *galli* incominciavano a cantare. Rapidamente la vita riprendeva intorno a me. I miei contadini uscivano con le bestie: li vedevo, in fondo al viale, attraversare il prato. Anche Eraldo si era alzato e lavorava intorno al *pozzo*. Mentre il ticchiettio non si sentiva più.

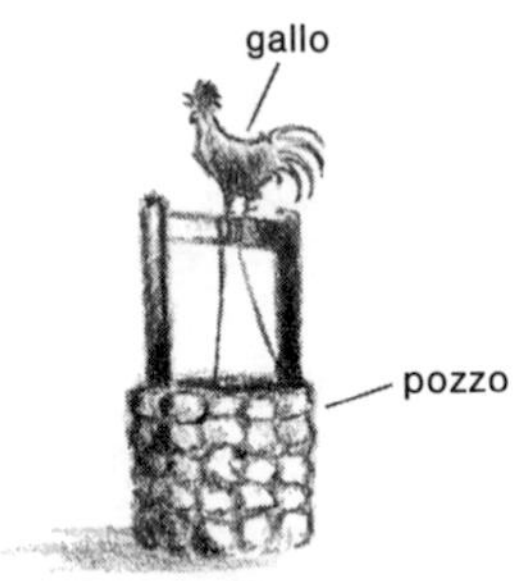

---

poltrona, pipa, maniglia, vedi illustrazione pag. 37
tollerabile, che si può sopportare
fiato, aria che entra ed esce dalla bocca
pausa, momento di silenzio mentre si suona o si parla

Non avevo dormito. Ma non avevo sonno. Avevo freddo. Sono rientrato in camera, e ho chiuso la finestra, *indeciso* se andare a letto o uscire per la campagna, e indeciso, ancora di più, su che cosa fare fra diciotto ore. Certo, un'altra notte in villa, non ci volevo dormire. Mi guardavo allo *specchio* e pensavo di farmi la barba, quando ho udito un *tonfo,* preciso, sul *soffitto* sopra di me.

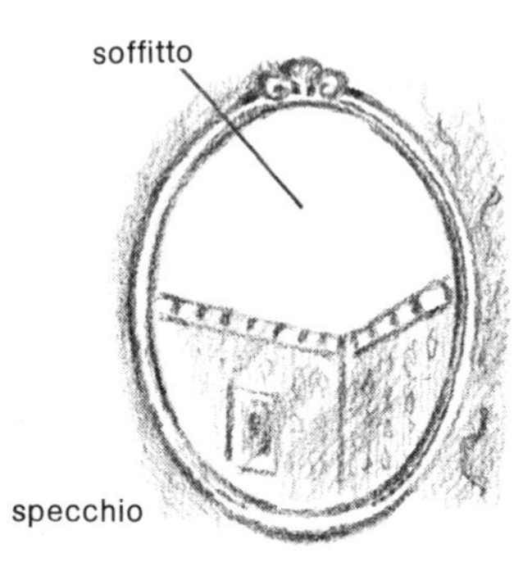

Non so come ho avuto il coraggio. Sono uscito, ho salito le scale di corsa, sono entrato nella *soffitta* che si trovava proprio sopra la mia camera da letto.

Uno *stanzone* enorme e buio, con due piccole *mansarde.* Lungo le pareti c'erano casse e mobili vecchi.

Un *bauletto* verde, era un poco più lontano dalla parete e da tutta l'altra roba. Mi ricordavo di averlo notato la sera prima, durante la visita con Eraldo. E,

---

indeciso, che non ha preso una decisione
tonfo, rumore che fa una persona o una cosa che cade
soffitta, stanza sotto il tetto di una casa con tanti piani
stanzone, stanza molto grande
mansarde, vedi illustrazione pag. 40
bauletto, vedi illustrazione pag. 41

anzi, di aver provato ad aprirlo senza riuscirci. Sulla *borchia* della *serratura* si vedevano chiaramente le lettere V.K. del nome di mia zia. A provare ad alzarlo con una mano, sembrava vuoto. Avevo detto a Eraldo: »Bisognerà chiamare un operaio e fargli aprire tutte le serrature sia di mobili, casse e bauletti. Come questa.«

Sono entrato nella soffitta. Tutto mi pareva nello stesso ordine della sera prima. Il bauletto verde... Il bauletto verde era là. Con una mano ho provato la serratura: che questa volta si è subito aperta.

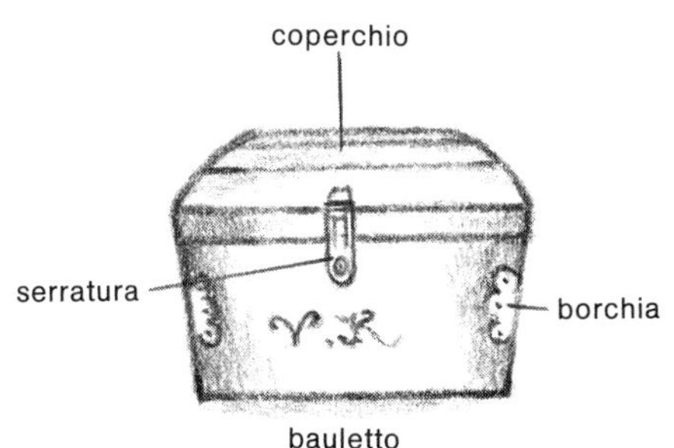

Ho alzato il *coperchio*. Era *foderato* di una carta a fiori rosa. Nel centro c'erano un paio di stivaletti da donna grigi e neri.

Non vecchi, non segnati dagli anni, come si poteva pensare. Al contrario, erano freschi e *morbidi*, parevano nuovi.

Li ho presi tra le mani, li ho *accarezzati*. Erano leggermente tiepidi, sembravano usati fino a un momento prima.«

---

foderato, coperto all'interno
morbido, il contrario di duro
accarezzare, toccare leggermente con la mano in segno di amore

Domande

1. Dove si incontrano i due amici?
2. Che cosa aveva sempre desiderato Filippo Tasca?
3. Perché lo zio si sentiva responsabile della morte di sua moglie?
4. Che cosa fa Filippo Tasca appena va ad abitare nella villa di Sassi?
5. Perché Filippo Tasca si sveglia la prima notte che egli dorme nella villa di Sassi?
6. Che cosa gli pare di udire?
7. Quando aveva già udito una cosa simile?
8. Perché allora non aveva detto niente allo zio?
9. Dove passa la prima notte in villa Filippo Tasca, e che cosa fa?
10. Che cosa fa Filippo Tasca la mattina dopo?
11. Che cosa trova nel bauletto?

IL *VERME*

Il colpo era stato improvviso: e dato all'ultimo momento, quando Margherita non si preoccupava più, e non poteva più fare niente.

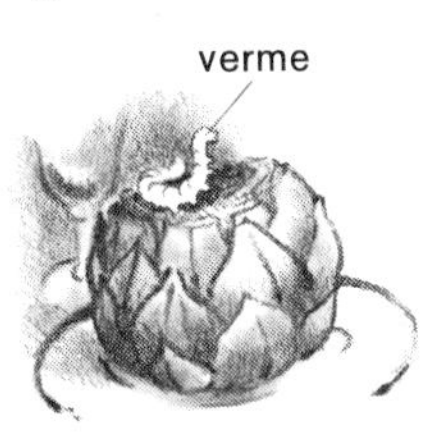

Già erano in piazza Venezia, a pochi passi dal ristorante dove Carlo aveva deciso di portare a pranzo l'ospite *illustre:* pioveva forte e Carlo, che era *miope* (e marito miope!) non riusciva a vedere bene dove guidava la macchina tra tanta acqua e luci e *insegne colorate,* già Carlo aveva girato in Corso Vittorio:

---

illustre, famoso
miope, chi riesce a vedere solo le cose molto vicine
colorato, con tanti colori

»Mi hanno detto« aveva allora *esclamato* Geertruida Beekman »mi hanno detto che in *Trastevere* c'è una nuova *trattoria* simpaticissima! Quinto e Sesto, si chiama, mi pare!«

»Quinto e Sesto: ne ho sentito parlare anch'io!« sorride Carlo, e, felice di fare piacere alla famosa collega, cambia senz'altro strada. Dalla Beekman attendeva aiuto, *protezione,* e soprattutto l'invito a dare una serie di lezioni in un'importante università americana.

Quinto e Sesto: quando sente questo nome il cuore *provinciale* di Margherita si mette a battere forte: era proprio la trattoria preferita da Jack! Le aveva detto che ci andava tutte le sere.

Margherita pensa subito che deve fare qualcosa: opporsi, cercare, trovare qualche scusa per evitare il gravissimo *rischio* di un incontro fra suo marito e Jack. Ma così all'improvviso, sa solo tacere. La Beekman è davanti, accanto a Carlo e parla, parla. E' quasi impossibile interromperla per dire a Carlo di non cambiare strada. Hanno già passato il ponte Garibaldi, e poiché non ha detto nulla subito ora non può lanciare una nuova idea: la cosa può sembrare strana a Carlo e rendere la situazione ancora più grave.

Margherita è di buona famiglia, è andata a scuola dalle *monache* e è vissuta in provincia fino a cinque anni prima, cioè fino al giorno del suo matrimonio.

---

esclamare, dire una cosa a voce molto alta
Trastevere, luogo vicino alla riva del fiume Tevere a Roma
trattoria, ristorante
protezione, difesa
provinciale, che viene dalla provincia, *cuore provinciale,* qui si intende cuore di donna semplice
rischio, pericolo

Pensa: l'unico aiuto è pregare! Chiude gli occhi e prega.

Intanto la Beekman parla: parla con la sua voce forte e dura di olandese, così diversa dalla voce dolce che usa nelle famose *conferenze* su »MUSICHE *PRIMITIVE* DI TUTTO IL MONDO«.

Il professor Carlo Ziliati non è *musicologo* ma studia le *canzoni* e le musiche *popolari*. Aveva, per lunghi mesi, vissuto in Sardegna, in Corsica e nelle Baleari, era andato in giro in macchina e a piedi, aveva raggiunto i gruppi di case più lontani in compagnia del suo *registratore*, aveva convinto i vecchi a cantare anti-

---

conferenza, discorso fatto per molte persone
primitivo, molto semplice, dei popoli non civili
musicologo, professore che sa tutto sulla musica
canzone, parole che vengono cantate
popolare, del popolo
registratore, vedi illustrazione pag. 46

chissime canzoni. Poi ha scritto un libro e ora è professore all'*Accademia di Santa Cecilia*.

Anche Carlo è di buona famiglia, è *pallido,* biondo, occhi celesti e miopi. Non vuole usare gli *occhiali,* o li usa solo quando non ne può fare a meno, per esempio quando legge al pianoforte o quando guida la macchina.

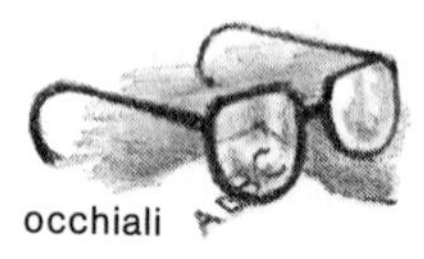

Per natura era alto e magro: ma dopo essere diventato professore e dopo il matrimonio, è *ingrassato* rapidamente e *goffamente.*

Accademia di Santa Cecilia, famosa scuola di musica
pallido, quasi bianco, senza colore
ingrassare, diventare grasso
goffamente, in modo poco bello

Ha sposato una ragazza che conosceva da quando era bambino e andava in vacanza a Rimini: Margherita Marcucci. Cattolico anche lui per profonda necessità, non poteva, in ogni caso, scegliere in modo molto diverso.

Ma, anche se era troppo occupato dai suoi studi per accorgersene e anche se era troppo cattolico per ammetterlo, il matrimonio era andato male. Niente figli, anche se avevano provato con tutti i mezzi. La povera Margherita era venuta a Roma piena di speranze, ma adesso viveva *annoiata* nel bell'appartamento. Al mattino faceva i lavori di casa, al pomeriggio qualche visita o qualche cinema, qualche concerto la sera.

Fatto strano e *buffo*, era ingrassata anche lei allo stesso modo del marito: come *gonfia*. Ma, se nel marito questa *abnormità* aveva un'aria tranquilla, era accettata, era chiaro che lei, invece, ne soffriva. Passava, ogni giorno, ore *dolorose* davanti allo specchio. Aveva provato a *dimagrire*, ma non era riuscita.

Era alta anche lei, di viso e di forme *originariamente* bellissima. *Bruna*, gli occhi vivi, grandi, chiari, tra gialli e verdi. I denti piccoli erano bianchissimi.

Margherita, com'è naturale, si era accorta a poco a poco che il matrimonio andava male. Giorno per

---

annoiato, che non sa come fare passare il tempo
buffo, che fa ridere
gonfio, pieno di aria
abnormità, cosa non normale
doloroso, pieno di dolore
dimagrire, diventare magro
originariamente, in principio
bruno, con i capelli quasi neri

giorno, in quei cinque anni, la sua coscienza era sempre più certa del triste fatto. Ma lo aveva saputo con sicurezza una sera al principio di quell'inverno e era stato proprio Carlo, *ignaro,* a farglielo capire.

Carlo, come tutti i veri musicologi, non cantava mai. Quella sera, però, per *festeggiare* il suo trentatreesimo compleanno, aveva forse bevuto un po' troppo champagne. Gli invitati erano vecchi amici. E così, a un certo momento, si era lasciato convincere a cantare.

Margherita non lo aveva mai visto tanto allegro neanche quando era ragazzo. Si era seduto al pianoforte e da più di un'ora cantava una dopo l'altra tutte le canzoni che gli chiedevano.

Una canzone aveva maggior successo di tutte le altre. Era una vecchia canzone *piemontese* che raccontava la storia di una ragazza *»mal maritata«*. E Margherita, mentre lui cantava molte volte la stessa canzone, si ripeteva che lui sì, lui era felice, aveva la sua musica, i suoi viaggi, i suoi studi, il suo registratore: ma lei era proprio come la ragazza della canzone.

Comunque, Margherita aveva *reagito.* Non aveva mai, fino allora, *tradito* Carlo. Ma aveva più volte desiderato di tradirlo. E, ogni volta, l'occasione di questo desiderio era stata l'incontro con qualche giovane straniero, generalmente americano.

---

ignaro, che non sa, senza sapere
festeggiare, fare festa
piemontese, della regione italiana Piemonte
mal maritata, donna che non è felice del suo matrimonio
reagire, opporsi
tradire, amare un'altra persona invece del proprio marito o della propria moglie

Da qualche tempo, per imparare bene l'inglese e prepararsi al prossimo (sperava) soggiorno americano, si era iscritta, per consiglio dello stesso Carlo, alla *biblioteca* dell'*Usis* in via Veneto: vi passava quasi ogni giorno, frequentava corsi di lezioni, ascoltava conferenze, andava ai cocktails: e tutto questo sempre da sola.

Era un ambiente *staccato* da quello in cui le i e Carlo vivevano. Nessuno, là, la conosceva. E lei, quasi per *istinto,* aveva detto di chiamarsi Miss Marcucci e non Mrs. Ziliati. Aveva cercato di convincere se stessa che la cosa non aveva nessuna importanza e non lo aveva detto a Carlo. Oltre tutto, le avevano spiegato che nei paesi *anglosassoni* si usava così: quando si trattava di lavoro o di *occupazioni* personali, le donne sposate potevano continuare a usare il nome da ragazza e lo facevano abbastanza spesso.

Anche se era troppo grassa, era sempre una bellissima ragazza e ora alla biblioteca dell'Usis tutti la conoscevano come Miss Marcucci e come tale veniva *corteggiata* da alcuni studenti americani.

Ma era stata lei a scegliere. Aveva preferito il più *ingenuo,* il più sicuro: Jack Carfagno, italo-americano

---

biblioteca, luogo dove sono raccolti tanti libri e dove i libri si possone leggere in grandi sale
USIS, United States Information Service
staccato, non vicino
istinto, si dice di cosa che non è imparata, ma fatta in modo naturale, come fanno le cose gli animali
anglosassone, dei popoli di cultura inglese
occupazione, attività
corteggiare, mostrare interesse per una donna ed essere molto gentile con lei
ingenuo, sincero e semplice

di Los Angeles, che era venuto in Italia a studiare *architettura.*

Era un giovane alto e magro di circa venticinque anni, con la pelle come un *pellerossa,* forte, simpatico, rumoroso, *onesto.*

I primi incontri erano stati molto *delicati:* un tè da Babington, una *passeggiata* all'Appia Antica nel sole di un pomeriggio di dicembre, un film in lingua inglese al cinema Fiammetta. Le loro mani non arrivavano a *sfiorarsi.* Gli sguardi erano brevi, non duravano più di qualche *istante.*

Margherita godeva, così, i propri sogni. Credeva, così, di aver trovato una medicina per la propria profonda *insoddisfazione.* Ed era sicura di non fare troppo male, e di poter continuare senza troppo pericolo.

---

architettura, si studia per poter costruire case e palazzi
onesto, che non è capace di fare cose cattive o non giuste
delicato, che dà piacere perché è fatto con sentimento gentile e con molta attenzione
passeggiata, piccola gita a piedi
sfiorare, toccare appena, molto leggermente
istante, momento molto breve di tempo
insoddisfazione, sentimento che si prova quando non si è contenti del modo di vivere

In principio, dunque, non aveva detto a Jack di essere sposata. Gli diceva di dover ritornare a casa ogni sera prima delle nove perché viveva con i genitori, e i genitori erano all'antica.

Ma durante un breve viaggio di Carlo a Padova aveva accettato di andare con Jack sulla *cinquecento,* da lui *noleggiata,* fino a Tor San Lorenzo: e là, sulla spiaggia deserta ed immensa, nella giornata grigia, nel vento, di colpo, la aveva abbracciata e baciata con molta ed *inaspettata violenza.*

Margherita aveva capito che se voleva proprio salvarsi doveva dire la verità a Jack.

Jack, onesto ed all'antica, aveva già cominciato a parlarle della possibilità di un futuro matrimonio: tra qualche anno, appena il *reddito* del suo lavoro glielo permetteva. Quasi certamente se lei gli diceva che era sposata, rinunciava a lei. Era troppo un bravo ragazzo. E lei non voleva perderlo: né perderlo né *perdersi:* non aveva detto nulla. Il gioco, difficile e pericoloso, era continuato per qualche settimana.

Jack aveva *affittato* un piccolo appartamento, tre o quattro stanze, piccole ma dai soffitti alti, mobili moderni, poltrone basse e tavoli di teak. Dalle finestre molto grandi si vedevano terrazze e cortili: su, in un angolo, di là da un muro, cresceva un *fico.* Alcune

---

cinquecento, piccola automobile
noleggiare, pagare per poter usare
inaspettato, che non si aspetta
violenza, forza usata verso una persona
reddito, soldi guadagnati
perdersi, fare peccati
affittare, pagare soldi per abitare in un appartamento di altri
fico, vedi illustrazione pag. 52

piante di *limoni ornavano* senza ordine le terrazze. A Margherita questa casa piaceva moltissimo: era un posto che la faceva sognare.

Veniva a trovare Jack quasi ogni pomeriggio e si fermava lunghe ore, con la scusa del tè. Ed infine è

---

ornare, fare più bello

accaduto ciò che doveva accadere. E quando Carlo era andato a Parigi per un *congresso* e vi era restato una settimana, Margherita aveva detto che i suoi genitori erano andati ad Ancona e l'avevano lasciata sola: e così *si era tolta la voglia* di passare con Jack un'intera notte.

La povera ragazza era, al tempo stesso, felice e *infelice.* Andava a confessarsi e prometteva di non *peccare* più: e dentro di sé, in fondo in fondo, la voce della coscienza le diceva che non prometteva in buona fede. Allora, pensava che per fortuna non avevano figli: e che, se Jack continuava a volerle bene e lei a volerne a lui, poteva chiedere l'*annullamento* del suo matrimonio. Certo se era stato possibile ad altre, poteva essere possibile anche a lei.

Intanto, se voleva mantenere viva quest'ultima speranza, doveva evitare di far sapere a Jack e Carlo la verità.

Vivevano nella stessa città e Margherita doveva ben capire che era molto difficile evitare un incontro.

Ora, mentre esce dall'auto nella triste piazza, e corre sotto la *pioggia,* verso l'insegna illuminata di Quinto e

---

congresso, luogo dove sono raccolte molte persone per ascoltare discorsi o per discutere su cose per cui loro hanno un particolare interesse.
togliersi la voglia, fare una cosa che si desidera
infelice, contrario di felice
peccare, fare peccati
annullamento, azione che dichiara che il matrimonio di due persone non esiste. Quando la novella è stata scritta, in Italia, non era possibile divorziare, cioè cancellare gli effetti del matrimonio
pioggia, acqua che cade quando piove

Sesto, a Margherita pare di morire. Si immagina l'incontro tra Carlo e Jack in trattoria, poi la *confessione* a Carlo, e la *spiegazione* con Jack, il dolore del primo e del secondo e... purtroppo anche l'*addio* per sempre a Jack.

Conosce bene Jack e sa che se Jack la vede entrare in trattoria accompagnata da una signora anziana e da un uomo *di mezza età,* lui non si limita certamente a salutarla con rispetto. No, lei sa che, se Jack la vede, le viene subito incontro e forse anche la abbraccia. Per Jack, lei è una brava ragazza da sposare: più di una volta le ha chiesto di essere presentato ai suoi genitori, e lei ha dovuto dire che la mamma è malata e che non può ricevere nessuno.

Ora, se la vede entrare in trattoria con la Beekman e Carlo, pensa certamente, ma si capisce, a buoni amici! Insomma era proprio quello che lui cercava, era quello che chiedeva: stare un po' con lei anche la sera, e in compagnia d'altri. Proprio per questa ragione l'idea del matrimonio si faceva, nel suo cuore semplice ed onesto, sempre più sicura.

Non si poteva salvare, dunque. Con la scusa della pioggia, Margherita attraversa la piazza di corsa: come chi va incontro per primo ad una disgrazia *inevitabile* per non soffrire mentre attende.

Un cameriere le apre la porta a vetri e la invita a entrare. Lei fa soltanto un passo avanti, per non rima-

---

confessione, si fa quando si confessa
spiegazione, si fa quando si spiega
addio, saluto a una persona che non si vede mai più
di mezza età, di circa 40 anni
inevitabile, che non si può evitare

nere sotto la pioggia e si gira a guardare: Carlo sotto la pioggia, *a braccetto* della Beekman che viene avanti lentamente, con l'*ombrello* in mano. Ed ancora una volta si fa la stessa domanda: come fa Carlo, così *debole,* senza difesa, miope, a portare a termine senza

---

a braccetto, con il braccio intorno al braccio di un'altra persona
debole, contrario di forte

incidenti, studi importanti in paesi *solitari* e quasi *selvaggi?*

Entrano. La trattoria è piena di gente: una stanza unica divisa da archetti. E Margherita vede subito che Jack non c'è. Sospira contenta mentre si siedono ad uno degli ultimi tavoli liberi. E subito, mentre guarda l'ora, ricomincia a preoccuparsi come prima e più di prima: è ancora presto, Jack appare certamente fra poco tempo.

Margherita si siede in modo da avere davanti Carlo, la Beekman e la porta, laggiù in fondo, dietro le loro spalle. Per poter esser essere la prima a vederlo. Forse poteva anche tentare di evitare, da parte di Jack, un saluto troppo *caloroso.* Poteva tentare, ma, dato che lo conosceva a fondo, non ci sperava. Il pranzo le sembra lunghissimo, il servizio della trattoria è molto lento e Margherita continua a guardare ogni momento il suo orologino senza però farsi vedere da suo marito e dalla Beekman. Ma, per fortuna, i due parlano e parlano della loro musica e non si accorgono che lei è preoccupata.

Dopo le *fettuccine* e dopo il pesce, arrivano *finocchi,*

fettuccine

---

solitario, quasi deserto
selvaggio, non civile
caloroso, che dimostra molta amicizia
finocchio, vedi illustrazione pag. 58/59

sedani e *carciofi* da mangiare *crudi*. Questo è uno dei piatti preferiti da Carlo. Non era mai stanco di mangiarne e diceva sempre ai suoi ospiti:

»La *verdura* cruda è come la musica primitiva: naturale, perfetta, contiene tutto...«

Lo dice anche questa volta. Ma si ferma a mezza *frase*, e resta con la bocca aperta, curvo sul carciofo, fino a toccarlo con la punta del naso. Ha in mano una foglia di carciofo e non si decide a portarla alla bocca o a lasciarla.

Rialza il viso, è pallido, quasi senza fiato. Per un istante ancora, tace, mentre guarda davanti a sé nel vuoto.

Poi, di scatto, si alza in piedi:

»Scusi, Geertruida...« dice. E' molto pallido, sembra malato. »Scusi, mi dispiace, Geertruida... scusa Margherita... ma dobbiamo andare.« Ed a un cameriere che passa, dice: »Il conto, per favore, subito...«

Margherita, per un momento pensa che Carlo si comporta così per colpa sua. Ma Jack non è ancora entrato, non è ancora successo niente. Non riesce a capire. Ma si alza e non osa parlare.

Parla la Beeckman, alla quale, naturalmente dispiace interrompere il buon pranzo e lasciare la trattoria per andare fuori nella pioggia:

---

carciofi, vedi illustrazione pag. 58/59
crudo, non cotto
verdura, nome che si usa per tutte le erbe che si possono mangiare
frase, numero minimo di parole necessarie per dire o scrivere un pensiero
rialzare, alzare di nuovo

»Che succede, mio caro Carlo?«
»Una cosa *schifosa*« *balbetta* Carlo mentre mostra il

---

schifoso, terribile
balbettare, parlare come i bambini piccoli a causa di una grande sorpresa o paura

suo piatto »una cosa *orribile,* lì... lì nel carciofo: un verme vivo.«

E la Beekmann e Margherita non ridono solo perché

---

orribile, molto brutto

sono *spaventate* dall'aspetto di Carlo.

»I signori non hanno mangiato la *frutta!* Qualche cosa che non va?« chiede il cameriere mentre dà il conto al professore e le due signore sono già andate verso il *guardaroba.*

»No, grazie...« dice Carlo, che per nulla al mondo voleva spiegare. Dice soltanto: »Ci siamo ricordati un *appuntamento*... Grazie«.

Margherita sa, e la Beekman lo ha capito, che Carlo soffre, per i vermi, di una *invincibile idiosincrasia.*

Fuori piove ancora ed i tre attraversano la piazza piena di acqua per andare al *posteggio.*

E nell'attimo che si gira per antrare in macchina, Margherita vede, laggiù, la lunga *sagoma* di Jack: testa nuda, le mani nelle tasche dell'*impermeabile,* corre lungo il muro sotto la pioggia ed entra da Quinto e Sesto.

La paura era passata, ma era servita molto. Da quella sera, a poco a poco, Margherita era andata sempre meno a fare visita a Jack.

---

spaventato, pieno di paura
frutta, vedi illustrazione pag. 58/59
guardaroba, luogo dove si mettono ombrelli, cappelli, giacche quando si entra al ristorante e poi si vanno a prendere quando si esce
appuntamento, accordo con una persona per avere un incontro in un luogo e ad una ora stabiliti
invincibile, che non si può vincere
idiosincrasia, disposizione a odiare senza limiti una persona, una cosa o un'idea
posteggio, luogo dove si possono lasciare le automobili quando non si usano
sagoma, figura
impermeabile, vestito che non lascia passare l'acqua e che si usa quando piove

Prima di Pasqua, Jack era ripartito per l'America e si erano salutati per sempre. E tutto era tornato nella *normalità*.

Domande

1. Perché Carlo e Margherita vanno alla trattoria »Quinto e Sesto«?
2. Di che cosa si occupa il professor Carlo Ziliati?
3. Dove si sono conosciuti Carlo e Margherita?
4. Perché Margherita dice di chiamarsi Miss Marcucci e non Mrs. Ziliati?
5. Chi è Jack Carfagno?
6. Perché Margherita non aveva detto a Jack di essere sposata?
7. Dove si incontravano Jack e Margherita?
8. Perché Margherita ha paura di vedere Jack in trattoria?
9. Perché Carlo non riesce più a mangiare e vuole subito lasciare la trattoria?
10. Che cosa vede Margherita appena sono usciti dalla trattoria?

---

normalità, vita normale di tutti i giorni

L'*UBRIACONA*

Quel piccolo *rettangolo* bianco, là per terra, in mezzo al cortile, vicino alle *rete metallica* dei vecchi, che cos'era?

Ottantatré sono molti. Lidia Pericoli se li sentiva tutti, ottantatré dolori nelle *ossa*. Ma la vista l'aveva da *falco:* sempre era stata buona: e con l'età, da lontano, sembrava addirittura più forte.

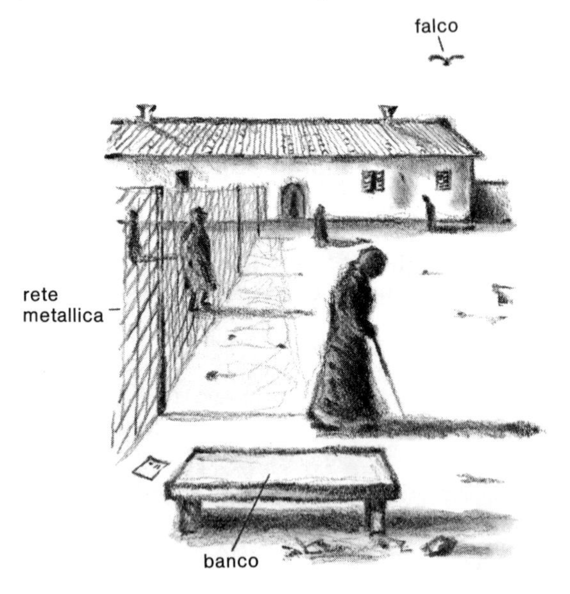

Che cos'era, dunque, quel piccolo rettangolo bianco? Una cartolina, senza dubbio. La vecchia Lidia credeva anche di vedere, in uno dei quattro *angolini,* il *francobollo* violetto. E non era scritta. Sì la vecchia

---

ubriacona, donna che beve tanto alcool

rettangolo

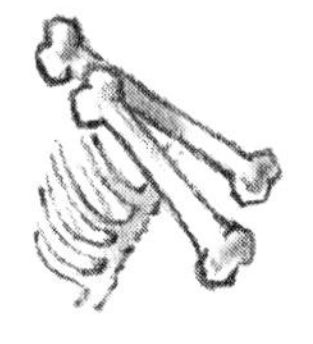
ossa

Lidia poteva giurare che, a quella distanza, riusciva a vedere. La cartolina non era scritta: ma era bell'e pronta per essere *spedita*. Certamente, era caduta dalla borsetta di qualche *visitatrice*. Le visitatrici ricche, quelle che fino alla fine, anche se vecchissime e malate, vivevano in casa, con le loro famiglie, quando venivano a trovare le parenti povere *ricoverate* lì, portavano sempre cartoline *illustrate:* e le facevano *firmare* alle parenti povere, lì sui *banchi* di pietra del cortile. Le spedivano in giro ai nipoti, a parenti comuni, ad amici: per dimostrare quanto erano buone e che non abbandonavano quelle donne infelici nell'*ospizio* dei poveri senza aiuto e compagnia.

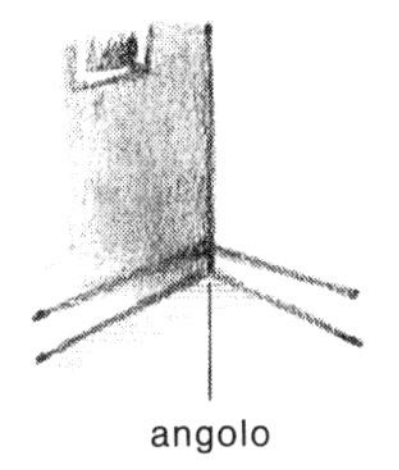
angolo

francobollo

---

spedito, da spedire, mandare
visitatrice, donna che visita q.
ricoverato, da ricoverare, fare entrare qualcuno in una casa dove si curano i vecchi o gli ammalati
illustrato, con figure
firmare, scrivere il proprio nome
ospizio, casa dove abitano e vengono curate le persone vecchie

Una cartolina illustrata: e Lidia, lentissima, camminava a fatica con l'aiuto del *bastone* e si avvicinava a piccoli passi.

Aveva pensato subito a come usare la cartolina: Natale non era lontano: voleva spedirla all'*avvocato* Curti, a Milano, con gli auguri, per essere ricordata da lui. L'altra volta, tre o quattro anni prima, non ricordava bene, ma insomma, quando la sorella da Varese le mandava ancora, ogni tanto, qualche soldo... L'altra volta, aveva ancora potuto comprare la cartolina e il francobollo. E l'avvocato Curti aveva risposto con un *vaglia* di diecimila lire, che era arrivato proprio il giorno prima di Natale. Cinque *bottiglie* di cognac

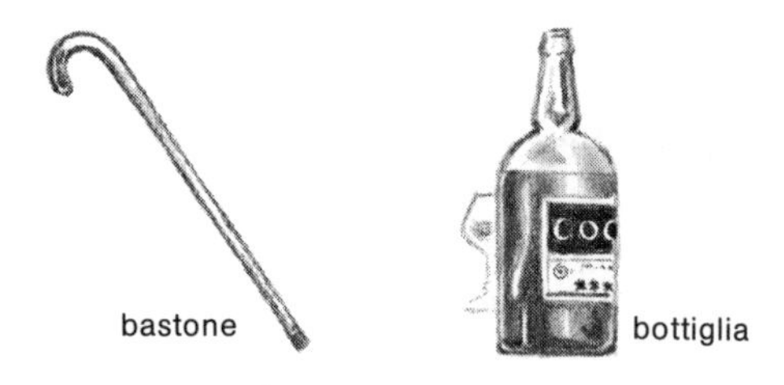

francese, bevute una dopo l'altra, a poco a poco: non c'era ancora la *sorveglianza* di adesso, non c'era ancora *Suora* Giovanna, questa *maledetta, disgraziata* che Lidia odiava senza pietà. Cinque bottiglie di cognac

---

avvocato, persona che ha per lavoro difendere le persone accusate
vaglia, denaro mandato per posta
sorveglianza, atto di controllare
suora, monaca
maledetto, part.pass. di maledire
disgraziato, persona che ha una disgrazia o che è una disgrazia per altre persone

francese: erano durate fino a Pasqua, e non le avevano fatto male proprio niente, anche se i dottori dicono il contrario: era stata la vita fino a Pasqua, era stata la felicità.

Intanto, con quel suo passo lento, non si era ancora avvicinata molto alla cartolina e guardava preoccupata di qua e di là perché temeva di non arrivare in tempo. Nel grande cortile, venti o trenta vecchie *passeggiavano* qua e là: ma camminavano tutte molto meglio di lei e se si accorgevano della cartolina, addio! E guardava la cartolina, che cominciava a distinguere meglio, anche se era ancora molto lontana; aveva visto bene: non era scritta, e aveva già il francobollo.

Ogni tanto era costretta a fermarsi: non soltanto per il dolore, ma proprio perché le gambe non riuscivano proprio più a muoversi. E allora aveva paura di cadere per terra e di morire. Poi, non si capiva come, il momento brutto passava: ecco poteva di nuovo fare un passetto avanti, un altro, un altro, verso la cartolina...

Guardava il cielo ed era molto preoccupata: se cominciava a piovere, la cartolina era rovinata. E se veniva il vento a spingere la cartolina più lontano... Poi ricominciava a camminare e la speranza cresceva ad ogni passo, insieme alla paura: ormai era a metà strada: e la cartolina era sempre là.

Era, adesso a tre o quattro metri.

Ora era finalmente arrivata e si era fermata con la *sottana* proprio sulla cartolina in modo da coprirla per

---

passeggiare, camminare lentamente per il solo piacere di camminare

sottana, vedi illustrazione pag. 66

cappotto
sottana

nasconderla a tutti.

Ma all'improvviso, una voce d'uomo:

»Attenta, state attenta!«

Era uno dei vecchi, a breve distanza, di là dalla rete. Grosso, *infagottato* in un *cappotto* nero, due occhietti piccoli, azzuri e *maligni*, era là fermo, *appoggiato* al suo bastone e la fissava. Chissà da quanto tempo. Forse aveva visto tutto, e capito tutto.

»Attenta di che?« chiede Lidia.

»Una cartolina buona e col francobollo. L'avete sotto i piedi.«

»Ognuno fa i suoi affari« risponde Lidia.

»Precisamente. La cartolina è del nostro *reparto*. E' volata via col vento. Per favore, me la *dia*.«

»Una cartolina? E dov' è?« dice Lidia.

»Sotto i vostri piedi« ripete il vecchio. »Altrimenti devo avvertire un *sorvegliante*. Per favore me la dia.«

»Aspettate un momento.« dice Lidia. Fa un piccolo passo e scopre la cartolina. Poi comincia a *curvarsi*. Aveva deciso di raccogliere la cartolina, metterla subito nella tasca del *grembiule* e andare subito via; il

---

infagottato, da infagottare, mettere addosso vestiti pesanti
maligno, cattivo
appoggiato, da appoggiarsi, usare qualcosa come aiuto
reparto, una delle parti di un ospedale, di un ospizio
dia, imperativo di dare
sorvegliante, persona che controlla e aiuta i vecchi dell'ospizio
curvarsi, mettere il corpo in una posizione dove la testa e la mani si avvicinano ai piedi

vecchio poteva fare quello che voleva, gridare, chiamare gente: lei aveva deciso di andare senza dire nulla, senza nemmeno girarsi.

Ma non era facile! Si curvava, si curvava, stendeva la mano: non arrivava alla cartolina. Da un paio d'anni, non riusciva più a curvarsi. Tutte le sere, per andare a letto, doveva farsi aiutare.

Prova ancora, ma non riesce. Si rialza e rinuncia. E' perduta.

Lidia comincia a andare, passetto passetto, verso l'ospizio e guarda ancora una volta, senza volerlo, la cartolina lì per terra, e pensa ai giorni di festa che si avvicinano, senza gioia, senza una parola amica, il Natale, l'inverno, tutta la vita che le restava, le notti lunghe e la speranza morta...

»*Cumare*! Aspettate! Venite qua« la voce del vecchio la chiama.

Si ferma.

»Venite qua. Si può. Prendete questo.«

Si gira.

Il vecchio ha preso qualcosa dalla tasca del cappotto e se lo è messo in bocca, poi lo tira fuori, lo attacca alla punta del bastone e passa il bastone attraverso la rete.

»Provate con questo. E' *gomma americana.*«

Lidia ha già capito, e si avvicina.

Prende il bastone e ritorna alla cartolina.

»Senza fretta« dice intanto il vecchio. »Senza fretta. *Premete* a lungo, prima di tirare su.«

---

cumare, parola che usa il popolo a Napoli per dire »signora«
gomma americana, gomma che si tiene in bocca perché è buona e dolce ma non si mangia
premere, spingere dall'alto verso il basso

E così fa. La cartolina viene su. E Lidia la prende e la mette subito, così come aveva deciso, nella tasca del grembiule. Si gira verso il vecchio. Fa un passo verso la rete e gli dà il bastone.

»Datemi quella cosa. E' mia!« dice allora il vecchio. Aveva alzato la voce, e parlava *con rabbia*.

Ma Lidia era così contenta di avere la cartolina, che si sentiva, improvvisamente, giovane. E ora riusciva perfino a sorridere in modo gentile al vecchio.

»Non vi *arrabbiate*. La cartolina, non è, intendiamoci, non è... Ma anche se facciamo conto che è vostra, fatemi questo regalo di Natale. Voi non siete vecchio come sono io. Vedo che siete ancora giovane.«

E gli spiega che cosa vuole fare della cartolina, gli racconta dell'avvocato Curti e gli promette un bel bicchiere di cognac.

Si sentiva giovane? La *giovinezza* era così lontana, che ormai cercava di non pensarci più: come dire che non era esistita: dato che non era servita a niente: neanche a farle mettere da parte un poco di soldi per qualche anno.

Va bene, forse era stata colpa sua. Tante amiche, tante colleghe che lavoravano nelle case come lei e che non erano più brave né più *carine* di lei e che quindi guadagnavano, più o meno, quello che guadagnava lei, erano state capaci, chissà come, di *risparmiare*. Avevano comprato l'appartamento e, qualcuna anche il

---

con rabbia, con modi cattivi
arrabbiarsi, diventare poco gentile e cattivo
giovinezza, periodo della vita quando una persona è giovane
carino, quasi bello
risparmiare, non usare tutti i soldi guadagnati

marito. Mah: misteri! Lei, comunque non era stata capace. E appena non aveva più potuto lavorare nelle case perché non era più giovane, piuttosto che scendere in basso, nelle case da pochi soldi, o, peggio ancora, nella strada, aveva buttato via il *rimmel* e il *rossetto* e si era messa a fare la *serva*.

Ma anche qui, era stata la stessa storia. Conosceva delle serve che guadagnavano quasi lo stesso delle padrone.

Era arrivata la guerra e la casa dove lei faceva la serva per le ragazze era stata rovinata dalle *bombe*. Lei si era salvata perché era nel *rifugio*. Le ragazze erano

---

rimmel, usato dalle donne per colorare e fare più belli gli occhi
rossetto, usato dalle donne per colorare e fare più bella la bocca
serva, persona che fa i servizi in casa di altri
rifugio, luogo dove si nascondono le persone quando cadono le bombe durante la guerra

andate chi qui, chi là. Qualche mese dopo, arrivati gli americani, avevano trovato tutte lavoro. Ma lei e la *cuoca,* che cosa potevano fare? Erano rimaste nel rifugio, vivevano lì e facevano qualche lavoro in giro. Il rifugio, per fortuna, era molto sicuro e ci veniva tanta gente, e appunto lì, nel rifugio aveva conosciuto l'avvocato Curti e i suoi amici, *profughi* politici dal Nord Italia. E aveva cominciato a fare la serva per loro. Abitava con loro nella casa dei profughi, faceva da mangiare e ricordava quel periodo come il più bello della sua vita. Non era mai stata tanto felice. L'avvocato Curti era molto gentile con lei. Ma quando la guerra era finita, e i profughi erano ripartiti, lei era rimasta sola e di nuovo senza lavoro, senza un letto, senza soldi.

Mendicava per poter mangiare, dormiva dove poteva, come le capitava. Si era ammalata, e sua sorella, che abitava a Varese, ed alla quale lei continuava a scrivere per aiuto, l'aveva convinta a entrare nell'ospizio dei poveri.

Lidia si era lasciata convincere solo perché la sorella le aveva promesso di mandarle tutti i mesi un vaglia di due o tremila lire: per le piccole spese, per non sentirsi abbandonata. Ma i vaglia della sorella non arrivavano sempre, anzi ne arrivavano sempre meno e poi non ne erano più arrivati. La sorella aveva scritto che non mandava più soldi perché aveva saputo da Suora Giovanna che lei spendeva tutto in vino e cognac. La

---

cuoca, persona che prepara da mangiare per altre persone
profugo, persona che è costretta a lasciare la sua patria e deve vivere in un altro paese
mendicare, chiedere soldi alle persone per la strada

sorella aveva deciso di non avere più verso di lei nessun dovere »causa il *vizio* di bere che la riduceva a una bestia *incosciente*.«

Ma era vero? Forse perché, qualche volta, stanca, non ubriaca, si era rifiutata di andare in chiesa o di pregare con le altre?

Non era stato facile farsi prestare la *penna biro* da una compagna: e ancora meno scegliere l'ora e il posto per scrivere senza farsi vedere da Suora Giovanna. Ma ci era riuscita e aveva scritto all'avvocato Curti.

Anche *impostare* non era stato facile. Una sola delle compagne di *camerata*, la Janniccelli, aveva il *permesso* di uscire: questo accadeva di regola due volte alla settimana, il martedì e il venerdì, le prime ore del pomeriggio. Di regola: ma qualche volta usciva altri giorni ed in altre ore. E bisognava fare bene attenzione. Perché se lei non le dava la cartolina da impostare proprio all'ultimo momento, mentre quella si preparava per uscire, certamente la cartolina andava a finire nella mani di Suora Giovanna.

Soltanto due giorni dopo aver scritto la cartolina, aveva visto, da lontano, che la Janniccelli si preparava. Si era avvicinata:

»Signora Janniccelli, per favore vuole impostare per me una cartolina di auguri?... Grazie, grazie.«

L'avvocato aveva risposto quasi subito. Ma non era

---

vizio, cattiva abitudine
incosciente, senza coscienza
impostare, mettere una lettera o una cartolina in una cassetta della posta
camerata, camera molto grande con tanti letti dove dormono molte persone
permesso, si da quando si permette a q. di fare qc.

penna biro

busta

il vaglia che lei aspettava. Era una lettera, scritta a macchina: in una *busta,* scritta anche quella a macchina, e che Suora Giovanna le aveva consegnato, per la verità, chiusa.

La lettera diceva:

»Gentile signorina Lidia, sono la *segretaria* dell'avvocato Curti, che ha ricevuto i suoi auguri e li *contraccambia.* L'avvocato Curti non ricorda bene il suo *indirizzo* preciso e per risponderle come l'ultima volta la prega di scrivergli per essere sicuro che quanto le manda non *vada* perso.«

Che stupida! Ma certo: ora che ci pensava, aveva dimenticato di scrivere il suo indirizzo sulla cartolina.

La segretaria aveva *accluso* il francobollo per la risposta.

Ma questa volta era stato più difficile rispondere perché prima aveva dovuto trovare un foglio di carta ed una busta. Ma era riuscita ad avere pronta la lettera per la prima volta che la Jannucci doveva uscire. Intanto, però, i giorni erano passati. Il Natale, ormai,

---

segretaria, donna che lavora in un ufficio e scrive lettere a macchina
contraccambiare, rispondere agli auguri con altri auguri
indirizzo, la via, il numero della casa ed il nome della città per indicare dove abita una persona
vada, cong. pres. di andare
accluso, da accludere, mettere in una busta con un'altra cosa

era vicino: e Lidia temeva di non ricevere il vaglia in tempo per fare festa come aveva sperato.

Anche il *Capodanno* era passato, e da tanto tempo. Le settimane, i mesi erano passati. Era passata Pasqua, e adesso si avvicinava l'estate. Come sempre, col caldo, stava un pochino meglio. Le passeggiate in cortile erano più lunghe, e sempre al sole.

Ma il vaglia non lo aveva mai ricevuto.

Era sicura che l'avvocato lo aveva spedito. Sicura, prima di tutto, perché era normale per lui farlo. Poi, perché il cuore glielo diceva. E infine, soprattutto, perché, a cominciare da un certo giorno verso la metà della settimana tra Natale e Capodanno, aveva visto chiaramente, ogni volta che incontrava lo sguardo di Suora Giovanna, un'espressione nuova, di colpa.

Oh, la faccia gialla e grassa di Suora Giovanna, non era certo simpatica a nessuno: e verso lei in particolare, non aveva mai mostrato nessuna *dolcezza*. Per anni, aveva solo avuto per lei solo ordini e parole dure.

Ma, appunto: a partire da quel certo giorno tra Natale e Capodanno (quando, cioè, quasi certamente, il vaglia era arrivato) Suora Giovanna, con lei, e soltanto con lei, era stranamente diventata più dolce. E a poco a poco Lidia non aveva più avuto dubbi. Il vaglia, lo aveva preso Suora Giovanna.

Lidia sapeva di avere un solo mezzo, per avere finalmente le sue diecimila lire: scrivere all'avvocato Curti e dirgli che non aveva ricevuto niente. E certo l'avvocato rispondeva che aveva spedito in data tale. Con la

---

Capodanno, primo giorno dell'anno
dolcezza, l'essere dolce

lettera dell'avvocato in mano, Lidia voleva andare anche in *direzione:* e voleva vedere, allora!

C'era un solo problema: non era ancora riuscita ad avere il francobollo: trenta lire.

Giù in cortile, si era avvicinata alla rete dei vecchi e aveva cercato il vecchio che l'aveva aiutata con la cartolina: per chiederle a lui queste trenta lire. Ma non lo vedeva mai. Aveva chiesto e le avevano detto che era malato. Prima di Pasqua, era morto.

Tuttavia, Lidia non disperava. Trenta lire, un francobollo, col passare del tempo, doveva trovarli. Era sicura, era contenta: quasi le pareva di avere le diecimila lire nella *sacchetta* bianca che portava appesa al petto, sotto il vestito, come tutte le sue compagne.

Le sue compagne, in quella sacchetta ci tenevano tante cose: soldi, chi ne aveva, ma comunque ricordi, fotografie di cari morti, o di cari lontani, *ciocche* di capelli legate da *nastrini,* e chissà che cosa ancora. Lei, invece, niente. La sacchetta era *obbligatoria* e perciò la portava. Ma vuota. E anche se riusciva ad avere le

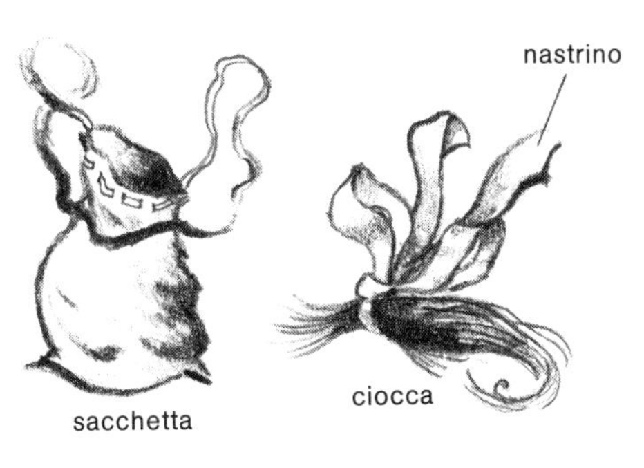

---

direzione, ufficio dove lavora il capo di un ufficio o di un ospizio
obbligatorio, che si deve avere

RIA
RISTORANTE

diecimila lire, nella sacchetta ci restavano certamente poco tempo. Anzi: forse non ce le metteva nemmeno.

Dalla finestra vedeva la città e l'immensa piazza. E distingueva benissimo, con la sua vista da falco, il bar dell'angolo: la gente entrava e usciva; un cameriere in giacca bianca e grembiule ecco, portava da bere a due clienti che erano seduti all'ombra, in via Foria. E là, proprio là, in quel bar, all'angolo di via Foria e Corso Garibaldi, lei pensava di mandare il *portiere* a comprare la prima bottiglia di cognac.

E se avevano ragione i dottori? Se le faceva male? Se moriva?

Doveva stare attenta a berlo poco per volta, pochissimo.

Sperava di non morire, insomma.

Sperava di avere le sue diecimila lire.

Sperava.

Con tutti i suoi problemi, i suoi dolori, la sua *solitudine:* non era infelice.

---

portiere, persona che sta vicino alla porta di un palazzo o di un ospizio e controlla chi entra e chi esce

solitudine, condizione di chi è solo

Domande

1. Che cosa trova Lidia nel cortile?
2. Come pensa di usare la cartolina?
3. Chi si accorge che Lidia ha trovato la cartolina?
4. Come fa Lidia a prendere la cartolina?
5. Lidia dove aveva conosciuto l'avvocato Curti?
6. Perché Lidia si era lasciata convincere a entrare nell'ospizio?
7. Perché la sorella non manda più soldi a Lidia?
8. Come fa Lidia a impostare la cartolina?
9. Perché l'avvocato manda a Lidia una lettera invece che un vaglia?
10. Che cosa pensava di fare con i soldi del vaglia?
11. Perché Mario Soldati dice che Lidia non era infelice?

UN PAESE IN O

Una volta, gli piaceva, la sera, leggere a letto. Ma non poteva mai: perché, appena era a letto, sua moglie gli diceva *ferocemente:*

»Spegni! Spegni subito!«

Obbediva e *sospirava.*

»E non sospirare!«

Obbediva ancora. Restava con gli occhi aperti nel buio, senza muoversi, senza pensieri, quasi godeva il proprio dolore. Pochi istanti dopo, sua moglie dormiva come una pietra. Allora lui faceva qualche piccolo movimento, si girava, cominciava a pensare, cercava una *consolazione.* E la consolazione migliore era

---

ferocemente, con animo cattivo
obbedire, fare quello che un'altra persona dice che bisogna fare
sospirare, far uscire aria dalla bocca lentamente e profondamente
consolazione, qualsiasi cosa che serve a non essere più triste

sempre un'idea fissa, una cosa sicura, un punto *luminoso:* sua moglie era *fedele*. Eh, sì! Mi tratta male, pensava, mi rovina la vita! ma almeno non mi tradisce. Vuol dire che, in fondo, mi ama. Se io muoio, lei certamente soffre. Posso solo godere del suo amore se mi uccido...

... Questo, una volta.

Adesso, e sono già due mesi, tutto è cambiato. Senza possibilità di dubbi, senza speranza. Ma, cambiato, soltanto per la parte buona: ha scoperto che sua moglie è *infedele,* tutto il resto è rimasto uguale.

Due mesi! Due mesi non »senza amore«. perché l'amore, ormai lo sa, l'amore non l'ha avuto neanche prima: ma due mesi senza »l'idea« dell'amore. E a questa mancanza triste, non si resiste.

Da due mesi, dunque, cerca una consolazione. E' troppo anziano, e del resto il suo lavoro lo occupa troppo e non può andare a *ricevimenti,* in *locali notturni,* o peggio. E poi, fin dal primo momento, da quando ha saputo che sua moglie non è fedele e non lo è mai stata, ha provato bisogno di amore anche per il passato, e ha tentato di ritornare in qualche modo alla propria giovinezza. Delle donne conosciute prima di sposarsi, quale gli era piaciuta di più? O piuttosto, con quale donna aveva avuto un sentimento più simile all'amore? Cercava di ricordarle tutte: Yvonne, Nora, Camilla, Celeste, Jolanda, Maria P., la Verrua (non si

---

luminoso, che manda luce
infedele, si dice di una moglie che ama un altro uomo che non è suo marito
ricevimento, festa importante in casa, con molte persone
locale notturno, night club

ricordava il primo nome), e Sandra, Lorena, Novella, Marcella, Liana, e un'altra Liana... Col pensiero sceglieva le migliori. Restavano in tre o quattro. Ma fra queste, per la verità, appariva ancora l'immagine di una sola. Di una sola ricordava, nei minimi particolari, le lunghe *soavi* ore passate insieme: Novella!

Non aveva più rivisto Novella dal tempo della guerra: la guerra li aveva divisi. Lui a Napoli, lei a Milano. Qui si era *precipitato,* nel luglio del '45: ma la casa dove abitava Novella, via Conchetta 20, era stata distrutta; nessuno nella via sapeva niente di lei. La guerra li aveva separati proprio nel momento in cui nasceva la loro passione. E così, l'aveva perduta e non sapeva niente di lei: la famiglia, la città dove era nata, la vita *precedente:* sapeva solo che era *emiliana* e dove aveva abitato a Milano.

Ma non l'aveva dimenticata; per qualche tempo aveva continuato a cercarla, ma senza risultato. Poi l'incontro con la donna che aveva sposato, il matrimonio come fatto nuovo, come speranza, gli avevano messo, come si dice, il cuore in pace.

Un giorno, a Genova, in un bar, aveva per caso incontrato una signora, della quale non ricordava neanche il nome, ma in casa della quale ricordava di essere stato insieme a Novella, e le aveva chiesto notizie: e la signora gli aveva detto che Novella si era sposata l'anno prima con un uomo ricco, padrone di un

---

soave, dolce
precipitarsi, andare molto in fretta
precedente, di prima
emiliano, della regione italiana Emilia

negozio di *salumi* e *commestibili* in un grosso paese della Lombardia, un paese...

Non aveva scritto il nome del paese. Era un nome *caratteristico,* quasi buffo; la cosa riguardava Novella: non era necessario scriverlo!

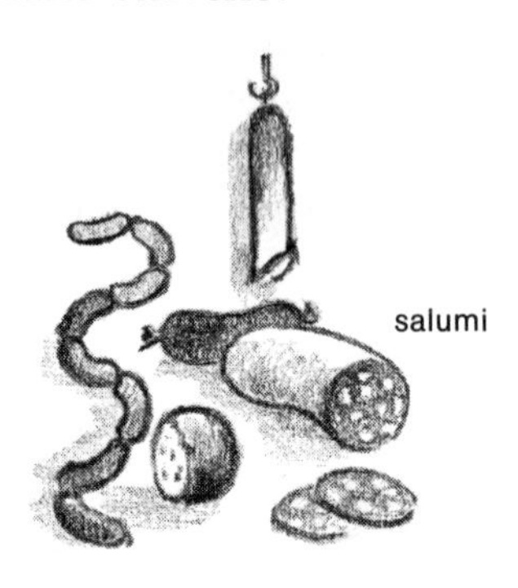

E invece, forse proprio perché erano i primi tempi del suo matrimonio, e forse anche perché la notizia del matrimonio di Novella sembrava rovinare la gioia di averla ritrovata, aveva dimenticato quasi subito il nome del paese.

A Napoli, dopo uno dei primi *litigi* con la moglie, il suo pensiero era andato naturalmente a Novella: al negozio di salumi: al grosso paese della Lombardia che si chiamava... si chiamava... Ricordava soltanto, ma di questo era certo, che il nome del paese cominciava con una O.

Ecco, adesso è qui, chiuso a chiave nel suo studio,

---

commestibili, tutte le cose che si possono mangiare
caratteristico, speciale
litigio, si fa quando si parla in modo cattivo con un'altra persona, che risponde nella stessa maniera

con *l'orario ferroviario* e con la *guida del Touring*.

Incredibile come la Lombardia è ricca di paesi in O! Oggiono, Onno, Olgiasca, Olgiate, Olginate, Olmeneta, Osio, Offanengo, Orano, Osnago...

E' vero, quasi tutti questi nomi gli sembrano leggermente buffi. Anche perché cominciano con una O... E se li ripete uno per uno mentre è solo nel silenzio dello studio, e ascolta come suonano quelle parole, che egli stesso *pronuncia* lentamente: lo ascolta, ogni volta, a lungo, come per sentire come suonavano dalla voce della signora nel bar di Genova, tanti anni prima.

Infine gli pare di aver trovato. Offanengo: Offanengo, non c'è dubbio, è il più strano, il più buffo di tutti. Un nome che, udito anche una volta sola, sembra quasi impossibile dimenticare, e quindi inutile scrivere.

Basta, la sua decisione è presa. Ora si ricorda benissimo. Novella è padrona di un negozio di salumi a Offanengo, grosso paese vicino a Crema. E il corpo stesso di Novella, che lui non ha mai potuto dimenticare, *opulento*, morbido, come un enorme *uovo*, diventa

uovo

---

orario ferroviario, libro dove si legge l'ora di partenza e di arrivo dei treni.
Guida del Touring, libro che si usa in Italia per sapere dove si trovano le città, i paesi, le strade, i fiumi, ecc.
pronunciare, dire
opulento, grosso e bello

così per lui una cosa sola con quell'O di Offanengo e con l'intero nome di Offanengo, che già non suona più buffo né strano, ma dolce, *completo, promessa* del vero amore.

Da qualche tempo ha cambiato casa, ora abita a Roma. E deve, per il suo lavoro, viaggiare spesso, in tutta l'Italia, e anche a Milano.

Un giorno freddissimo di gennaio, si trova dunque a Milano: è passata proprio una settimana da quando ha scoperto il nome di Offanengo con l'aiuto della guida del Touring.

Fa in fretta nella mattinata tutte le cose che doveva fare a Milano. E il pomeriggio decide di fare quanto aveva immaginato per sette lunghe notti quasi

---

completo, dove non manca nulla
promessa, il promettere

insonni, accanto al sonno di pietra della moglie infedele.

Noleggia una macchina.

La strada gli sembra lunghissima. Tutto raccolto e chiuso nei suoi pensieri come nel suo cappotto, torna ancora una volta, e un'altra, e un'altra ancora, a immaginarsi l'incontro dove Novella lo riconosce e lo abbraccia... Abbraccia? Ma, e il marito? E i figli, forse anche i figli? Fino allora, confessa a sé stesso, non ci aveva mai pensato. Oh, va bene, se il marito e i figli sono lì, una parola, una parolina, poteva ben trovare il modo di dirla a Novella. Poteva dire il nome dell'albergo dove abita a Milano: ecco tutto. Il giorno dopo, forse quella sera stessa, lei viene a Milano. E se non può? Senza dubbio lei viene! Novella piaceva a lui; ma anche lui, ne era sicurissimo, piaceva altrettanto a lei. E se proprio non poteva?

Con grande piacere, vede finalmente con i propri occhi, sul vecchio muro di una *cascina* all'inizio del paese, una *scritta* rovinata dal tempo ma che si può ancora leggere bene, il sognato nome: OFFANENGO.

---

insonne, senza sonno
cascina, scritta, vedi illustrazione pag. 86

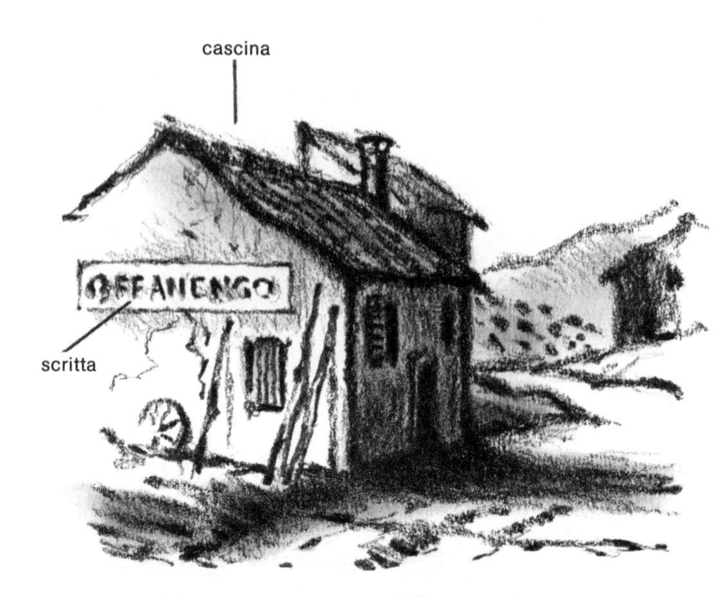

Dice all'autista di andare lentamente.

Sotto il cielo alto e grigio, nell'aria fredda, il grosso e lungo paese sembra deserto.

Fa fermare la macchina sulla piazza dove è la chiesa, poco lontano dalla villa Vailati. Mentre si allontana dall'*autista,* uomo serio e simpatico, che per tutto il viaggio non aveva parlato, ha vergogna si sé e della sua idea, ha perfino un po' di paura. Gli pare di essere venuto fino lì per commettere una specie di *delitto.* Infatti, se Novella viveva felice e tranquilla con il marito e con i figli, non era un delitto darle fastidio? Non si sa mai, la vita è strana, da cosa nasce cosa: chi poteva sapere che cosa poteva accadere per colpa di

---

autista, persona che guida una automobile
delitto, peccato

questa sua decisione? E' vero, poteva anche essere tutto il contrario: Novella poteva essere infelice: e in questo caso...

»Faccio un giro nel paese, devo vedere una persona...« dice all'autista.

»Mi aspetti qui, non si muova di qui... Faccio in fretta, è una cosa di pochi minuti.«

E si allontana deciso verso la via principale, dove, dalla macchina, aveva visto che erano i negozi.

Erano sette le *salumerie* di Offanengo.

Prima di entrare in una, vuole vederle, di fuori, tutte. Va avanti e indietro un paio di volte per il paese.

Il paese gli sembra deserto: e questo è chiaro, gli fa molto piacere. Ma ecco, ora la gente a poco a poco viene fuori, *incuriosita* di vedere uno straniero, che sembra cercare qualche cosa e che tuttavia non parla con nessuno e non chiede *informazioni.* Escono dalle case e si fermano a guardarlo passare, senza capire che cosa pensa.

Capisce che deve decidersi. Altrimenti sono capaci di avvertire i carabinieri.

Vuole cominciare dalla salumeria più bella e più

---

salumeria, negozio di salumi
incuriosito, che ha desiderio di sapere
informazione, notizia

grande. La signora di Genova aveva detto: un uomo ricco.

Si ferma un momento a guardare l'insegna, alla distanza di venti passi. Poi si decide.

Un vecchio *campanello* comincia a suonare forte, molto più forte e molto più a lungo di quanto lui desidera in questo momento. Nel negozio non c'è nessuno a servire. La salumeria più bella e la più grande del paese, certo: ma quanto *modesta,* piccola, triste e piena di polvere.

Si sente stringere il cuore: e non capisce se è per il pensiero di Novella in un posto simile, o perché ci sono al mondo, e nella regione più ricca della nostra Italia, negozi così poveri, e gente che non conosce altro. Il campanello continua a suonare. C'è un odore di cose vecchie e qui è ancora più freddo che fuori. Non viene nessuno e lui non osa chiamare.

Attende. Finalmente prende coraggio e cerca di dire abbastanza ad alta voce:

»C'è nessuno?«

Nessuno risponde.

Prova di nuovo:

»Ehi! C'è nessuno? Per favore!«

Nessuno risponde.

Finalmente, una bambina di dieci o dodici anni, bionda, *esile,* triste. Certamente non è figlia di Novella.

Compra una *scatola* di *carne in conserva.*

---

campanello, vedi illustrazione pag. 90
modesto, senza ricchezza
esile, con corpo piccolo e sottile
scatola, vedi illustrazione pag. 91
carne in conserva, carne preparata per durare a lungo

campanello

Mentre paga, pensa di domandare qualcosa alla bambina: se c'è nel paese un'altra salumeria, con una padrona così, grossa, grassa, bruna... Pensa ora che, forse, Novella è già grigia. Ma poi guarda la bambina e i suoi occhi incontrano gli occhi celesti e seri della bambina che lo guardano. Ha l'impressione di leggere un *rimprovero* nei suoi occhi, e non ha più il coraggio di chiedere.

scatola

Esce e rinuncia a visitare le altre salumerie.

Torna alla macchina. *Riparte* per Milano. E durante quel triste viaggio di *ritorno,* sulla stessa strada dove poco prima aveva provato tanta speranza, comincia ad avere dei dubbi.

E cessa di avere dubbi soltanto a Roma: ora è certo che il paese non è Offanengo, ma un altro, naturalmente: un altro paese in O.

---

rimprovero, parole che servono a far capire a una persona, che si è comportata male
ripartire, partire di nuovo
ritorno, atto del ritornare

Domande

1. Perché il marito non può leggere a letto?
2. Che cosa pensa il marito di sua moglie?
3. Perché comincia a pensare a Novella?
4. Chi era Novella?
5. Come viene a sapere che Novella è sposata?
6. Come trova il nome del paese dova abita Novella?
7. Che cosa decide di fare?
8. Che cosa fa quando arriva a Offanengo?
9. Chi vede nella salumeria?
10. Che cosa compera?
11. Perché non chiede informazioni alla bambina?